妖琦庵夜話

人魚を喰らう者

榎田ユウリ

角川ホラー文庫
18525

妖琦庵夜話《ようきあんやわ》

人魚を喰らう者

洗足《せんぞく》伊織《いおり》

妖琦庵の主で、茶道の師範。長い前髪で、左目を隠している。非常に鋭い観察力の持ち主で、記憶力もずば抜けている。聡明な美男子だが、気難しく、毒舌家。

脇坂《わきさか》洋二《ようじ》

警視庁妖人対策本部の新人刑事。甘めの顔立ちをした、今時の二枚目。子供の頃から妖怪ファンで、妖怪に関する知識は多いが、妖人と妖怪を混同しがち。

鱗田《うろこだ》仁助《にすけ》

警視庁妖人対策本部に所属。東京の下町生まれで、現場叩き上げのベテラン刑事。年の離れた相棒の脇坂に戸惑いもあったが、順応しつつある。

青目《あおめ》甲斐児《かいじ》

女性ならば誰しもが惑わされるほどの美丈夫。そのフェロモンで女性を騙すことを得意としている、反社会的妖人。

夷《えびす》芳彦《よしひこ》

伊織の家令（執事的存在）。《管狐》という妖人。特定の家に憑き、災いをなしたり、逆に守ったりするとされている。容姿は涼しげな美青年風。

弟子丸《でしまる》マメ

伊織の家の、不器用な家事手伝い。純粋で涙もろい。見た目は少年だが、すでに成人ずみの幼形成熟《ネオテニー》型妖人。《小豆とぎ》なので、動揺すると小豆をといで心を落ち着かせる。

カチッ。


……入ったかな？

えー、テスト。コホン。本日は晴天なり、晴天なり……。

うん、大丈夫そうだ。

では記録開始。午後二時二十分、島に到着した。実のところ、本日は晴天ではなく曇り空だ。じめっとした潮風が吹き、波もやや高い。船が結構揺れたので少し酔ってしまった。吐くほどではないが、足元がフワフワと覚束《おぼつか》ない。

海鳥が、どこかもの悲しく鳴いている。

閑散とした船着き場だ。

この島で降りたのは僕ひとり。定期船には十人ほどの乗客がいたけれど、ほとんどは隣のもっと大きな島の住民らしい。同じ船に乗ってたおじいさんは「あがいな島、なんもないがやろ？」と不思議そうに僕を見ていた。

瀬戸内海《せとないかい》には、七百二十七の島があると聞く。

これは外周が〇・一キロを超える島の数であり、より小さな島を含めれば三千を超すそうだ。その中には無人島も多いだろう。僕が降り立った島も、数年前の調査ですでに人口百人を割っていた。今はさらに減っていることが予想される。

さて、目の前には売店だったと思《おぼ》しき小屋がひとつ。

あれ、引き戸が開く……？　ああ、中に入れるのか。商品は撤去されてて、空の販売台が残されている。ドリンクの自動販売機は、かろうじて稼働中。塗装がほとんど剝《は》げたベンチもある。どうやらここは、週に数便しかない定期船の待合室として使われているらしい。

まずは自販機で麦茶をゲットしておこう。この先、どこに商店があるのかわからないし、晴れてきたらかなり暑くなるはずだ。ええと、地図によると、集落はここから一キロ弱歩いた場所にあり、現在の戸数は……。

「なァにひとりで、くっちゃべっとる？」

わっ！

びっくりした……。ええと、あの、僕は怪しい者ではなく……。

「製薬会社の人かの？」

はい？　製薬会社？

「また例の野草、採りに来よったか？」

いえ、僕は民俗学をやってる者でして……製薬会社の人が、島に来るんですか？

「なんやらな、この島で採れるなんちゃらいう草が、珍しい和漢方や言うて……ウチのような婆《ばば》にはようわからんがのう。けんどまあ、昔の話や。もうずいぶんとあん人らも姿を見せん」

　はあ……。あのー、ここは、静かでいい島ですね。

「おべんちゃらはええて。静かなんは、人がおらんからや」

　今、ここには何人くらいの方が住んでらっしゃるんですか？

「六十人くらいかのう」

　六十人ですか……。みなさん、お仕事は……？

「仕事っちゅう仕事はしよらん。あらかたジジババじゃもの、年金暮らしや」

　おばあさんは、今おいくつですか？

「ひっひ。いくつに見えら？」

　え？　えっと、あの……な、七十歳くらい……？

「ひっひっ。ほうけ、七十け。にいさんは優しいのう。こんなしわくちゃババアを七十と言うてくれるんか。ひひ。……ウチもなあ、大昔はピチピチしてたわ。ひとりで浜を歩くとな、若い漁師たちがウチをチラチラ見よって、からかったりなあ」

　ここは漁業の島だったんですよね。

「ほうよ。五十年も前にはまだ漁師もそれなりにおったが……そのうち、魚が捕れんようになって、燃料費ばっかり高《たこ》なって、みぃんな船ば手放しよった。こんあたりはほかに仕事もないがやろ。若いモンからどんどん島ァいぬるようなって、小学校がのうなって、病院ものうなって……あと十年もしたら無人島じゃ」

　そうですか……なんだか、さみしいですね。

「なんちゃあない。これもご時世やき。ほんで、兄さん、学者さん言うたか？」

あ、はい。大学で、民俗学の非常勤講師をしてます。

「みんぞくがく。そら、どういう学問かいの」

民俗学はですね、日本各地の伝統的な文化、風習、信仰や生活様式などを調べて、それにより現代に生きる我々の……。

「そがい難しゅうに言いよっても、わからんがよ」

あ、すみません。えっと……僕の場合、離島に伝わる伝承や伝説を研究してます。簡単に言うと、昔話だとかお伽噺《とぎばなし》だとかを聞いて回ってるんです。

「はあ。お伽噺を？　そらまた、のんきな学問じゃのう」

あはははは。そうですよね、のんきですよね。

でも、なかなか面白い学問なんですよ。やってみると、意外に奥が深いし。こうしていろんな島を訪れることもできて、いろんな方とお会いして……。

そうだ、おばあさん、この島の伝説についてお聞きしていいですか。

僕の下調べだと、この島に昔から伝わる……、

「人魚じゃろ」

そう。そうです、人魚。

美しい黒髪の人魚伝説が……、

「あるのう」

ありますか。そうですか。

しかも、噂では人魚の骸《むくろ》……つまりミイラが……、

「ああ。あるのう。祠《ほこら》にあるわい。行きたいかね？」

え。ほんとに？

本当に、あるんですか？　ここから近いんですか？　この地図だと、い、行きたいです。ぜひ案内してください。

どのへん……あれ、まずい、レコーダーの調子がよくない。

ああもう、こんなときに……。

すみません、ちょっとだけ待っててくださいね。けどすごいです。本当に、あるんですね、ミイラ。上半身が女性で、下が魚の。あ、点滅が速くなった。バッテリー不足なのか？　切れちゃうかな。もう切れるかな。も…………。

ブツッ。

※

リボン。

リボン。

リボン。

きれいな、サテンの、淡いピンクの。

「さあ、独身女性の方はどうぞいらしてください。ご遠慮なさらず、どんどん前へ——」

リボンは繋《つな》がっている。幸福に繋がっている。白とグリーンのコントラストが可憐《かれん》な、ラウンド型のウェディングブーケ。『ブーケトスにはしなかったんです、だってお花を投げたりしたら可哀想ですもん』……花嫁はそう言ってたらしい。いかにもあの子っぽい台詞《せりふ》。舌足らずな口ぶりまで想像できる。

リボン、リボン、リボン。花束から伸びるリボン。ずるずると伸びるリボン。

「わあ、ブーケプルズですよ。……さんも、行きましょう！」

「私はいいよ。……ちゃん、行っておいで。花束、引き当てておいで」

「そんなこと言わずに！　……ちゃんから聞いたんですけど、今回のプルズ、ハズレがないんですよ。花束があたらなくても、ちゃんと全員に別のものがあたるんですって！

……ちゃん、なかなか気が利いてますよね！」

まさか。

彼女はとろくて、気の利かない子だ。仕事も遅く、ミスも多かった。実習生でもしないようなミスをしでかし、上に少しばかりきつく叱られた時は、めそめそと泣きだした。そのミスのおかげで残業になったのは私だ。

「ほらほら、行きましょう！」

引っ張らないでよ。あなた、彼女の同期よね。つまり二十三歳よね。二の腕が太いわね。でも肌が張ってて、水も弾きそう。

「ああいうのは、若い子だけでやったほうがいいの。行っておいで」

「またまた。……さんだって、すっごく若く見えますよう。あたしたちに混ざっても、ぜんぜん違和感ないしぃ。ね、早く行きましょう」

もうだめだ。追い込まれた。

これ以上頑《かたく》なに断れば、あとでなにか言われる。だから仕方なく席を立つ。新郎新婦がにこにこ笑っている。新郎が私を見て、ほんの僅《わず》かに眉毛《まゆげ》を動かす。動揺した時の癖。知ってるに決まってる。二年前までつき合っていた相手なんだから。

「おめでとう」

私は言う。笑顔で言う。よかったわね。若いお嫁さんもらえて、よかったわね。私は新郎に話しかけたのだが、彼の返事より早く「ありがとうございます」と新婦が返してきた。ほとんど脊髄《せきずい》反射。それくらい仕事も早くこなせればいいのに。

花嫁の前には、八人の女性。
みんなでリボンの端を持つ。招待客の前に晒《さら》される、未婚の女たち。
これはなんだろう。なんの意味がある儀式だろう？　幸せのお裾分《すそわ》け？　なにそれ。
いらない。私はあんたのお裾なんていらない。
「はい、ではみなさん、リボンを引いてください！」
司会者の空々しいほどに明るい声。
私はリボンを引く。いやな手応えに、背中がぞわりとする。
早く終わらせたくて、強くリボンを引っ張る。
あっ、と彼女が声を上げ、少し前につんのめった。

ボトリ。

ブーケが、赤い絨毯《じゅうたん》の上に落ちた。

一

「角《かく》」

「丸」

ふたりが睨《にら》み合う。

「そのまま煮て溶ける感じがいいんです」

「香ばしく焼いてから入れるんです」

頑なな声がぶつかる。

「お出汁《だし》は当然、昆布と鰹《かつお》で」

「ふ。あご出汁の美味しさをご存じないとは」

「小松菜は入れてもらいます」

「いやです。苦労してかつお菜を手に入れたんですから」

「鶏肉必須《ひっす》」

「塩鰤《しおぶり》不可欠」

真っ向から意見が対立し、両者はまったく歩み寄る気配を見せない。

さて、どうしたものだろう。自分よりずっと背の高いふたりを見上げながら、マメは考える。冬の朝、台所はまだ寒く、足元をぴゅうとすきま風がすり抜けて行った。

「芳彦《よしひこ》。ここの主《あるじ》は誰でしたかね？」

ズイ、と一歩進んで言ったのは洗足《せんぞく》だ。

洗足伊織《いおり》、マメにとっては恩人であり、保護者であり、家族も同然の存在である。ふだんから和装を好み、今朝は濃鼠《こいねず》の袷《あわせ》の上から、紺の綿入れ半纏《はんてん》を羽織っている。長い前髪で左の目は隠され、露《あら》わな右目はきりりと描いたよう。睫《まつげ》が白い肌に影を落とし、ちょっと怖いほどの綺麗《きれい》な顔だちだ。

「無論、主は先生です。が、台所の采配《さいはい》を私に一任されたのも先生です」

ツンと顎《あご》を上げたのは夷《えびす》。

夷芳彦、洗足家の家令だ。家令というのは、かつてやんごとなき家の事務・会計・使用人の監督をした人だそうで、執事のようなものらしい。夷の場合、家事の一切も取り仕切っている。洗足ほどではないにしろ、吊《つ》り気味の目から放たれる眼光は鋭い。この人もやはり、マメには家族も同然だ。

そのふたりが台所で言い争っている。

しかも、マメからしてみれば、わりとどうでもいいことで。

「いいかい、芳彦。たしかにあたしはおまえに台所を一任しました。だから普段は食事に文句をつけたりはしてません。けどね、今朝は特別だ。なにしろ元日なんだからね。

一年の計というやつです。ここで主たるあたしが退くわけにはいかない」

「ええ、先生。そうですとも。一年の計です。だからこそ私は、縁起の良い丸餅《まるもち》で、とびきり美味《おい》しいお雑煮を作ると申し上げてるんです。それなのに口を出されるのは、甚だ心外」

「ここは東京です。餅は角餅と決まってます」

「たまには丸でもいいじゃないですか」

「芳彦、おまえ西の生まれじゃないでしょうが」

「母が九州でしたから、実家の雑煮は丸餅でした」

「あたしに丸餅の雑煮なんか食べさしたら、おっかさんが化けて出ますよ」

「ちょうどいい。一度ご挨拶《あいさつ》しておきたいところです」

「あのー」

ふたりを見上げて、マメは口を開いた。そろそろ止めに入らないと、お雑煮を食べ損なってしまいそうだ。

「マメ、おまえだっていつものお雑煮がいいでしょう？」

「マメ、おまえもそろそろいつものお雑煮に飽きたんじゃないか？」

マメを味方につけようと、ふたりが同時にこちらを見る。マメは小首を傾げて保護者たちを見上げ、

「僕はどっちも好きです」

と答えた。偽りのない本心である。美味しいならどっちでもいいのだ。

「でも、それじゃ解決になりませんから、こうしたらどうでしょう。今日は、先生のお好きな東京風のお雑煮にする。明日《あした》は、芳彦さん推奨のええと……九州風？」

「博多《はかた》雑煮だね」

「その博多風にする。これなら両方食べられて、僕も嬉《うれ》しいです」

にこやかに提案すると、洸足が懐に入れていた手を出して「ふむ」と顎を撫《な》でた。

「マメがそう言うなら、あたしは譲歩してもいいですがね」

一方で夷も、軽く肩を竦《すく》めて頷《うなず》いた。

「では元日は先生に譲りましょう。……きっと明日、先生は博多雑煮に唸《うな》りますよ」

「今日だって唸るよ。おまえの作る雑煮はいつも美味しいんだから」

「……まあ、それは……そうですが」

主に褒められた家令は、コホ、と軽く咳払《せきばら》いをする。そうそう、そうやって、ふだんどおり仲良くしてくれるととても嬉しい。常日頃から敬愛するふたりの子供っぽさを垣《かい》間見《ま》て、マメはクスリと小さく笑った。

「なんだい、マメ。笑ったね」

洸足に指摘され、「だって、楽しくて」と答えた。

「楽しい？」

「はい。家族みたいだなって」

答えると、洗足と夷が顔を見合わせた。

「先生も芳彦さんも、いつもはとても頼りになる立派な大人なのに、今朝はちょっとわがままで、お雑煮のことなんかでこんなに揉《も》めて……そういうのって、なんだか家族みたいです」

「……それは違うね」

洗足の返事にマメは「え」と一瞬怯《ひる》んだ。夷も頷き「勘違いがあるようですね」と洗足に同意している。ふたりの様子を見て、マメの心はたちまち萎《しぼ》み、じわじわと俯《うつむ》いた。図々《ずうずう》しいことを言ってしまったと後悔する。

三人のあいだには一切の血縁はない。洗足と夷は主と家令という関係だし、マメに至ってはただの居候に近い。共通点といえば、三人とも《妖人《ようじん》》であるというところだけだ。それを家族みたいだなんて……おこがましいことを口にした自分が恥ずかしくて、いたたまれない心持ちになる。

「ごめんなさい……僕……」

「家族みたい、ではなく、家族ですよ」

「え」

下を向いていた顔を上げると、洗足が優しく微笑んでいた。

「この洗足家に住まう者は、家族です」

「先生……」

「そうそう。だから、さきほどのような、くだらない言い争いもする」

「芳彦さ……んきしゅッ！」

マメがくしゃみをすると、洗足が「おっと、いけないね」と慌てて自分の半纏を脱ぎ、マメをくるんだ。

「火を使う前の台所は寒くていけない。茶の間に行こう」

「でも、僕は芳彦さんのお手伝いを……」

台所に留《とど》まろうとしたマメだが、夷にも「大丈夫だから」と言われてしまう。

「お煮染《にし》めは昨日のうちに作っておいたし、黒豆もきんとんもできてる。今朝はお雑煮だけだし、お出汁ができた頃に呼ぶよ。そうしたらお餅を焼いてもらおう」

「はい。呼んでくださいね」

そういえば、正月用の食器は夷とっておきの漆器や古伊万里《こいまり》だ。いまだに週に一枚は皿を割るマメが扱うには危険極まりない。ここはおとなしく、茶の間で待機していたほうが夷も安心だろう。

「先生、僕、自分のセーターを着てきます」

洗足に半纏を返し、マメはペコリと頭を下げた。そのまま一度自分の部屋に入り、お気に入りのくすんだグリーンのハイネックニットを被《かぶ》る。柔らかなウールで着心地がいいのだ。

そうだ、茶の間に行く前に、年賀状が来ていないか確認しよう。

思い立ったマメは、軽やかに玄関へと向かった。年末の大掃除でピカピカに磨いた廊下を曲がった時、

「うわあ！」

思わず声が出た。

それを合図に、ドタドタと足音がする。台所から夷が駆けつけてきたのだ。

「どうした、マメ……うわっ、これって」

前掛けをつけた夷が、本枯れ節を持ったまま目を瞠《みは》る。

「マメ？　いったい何ご……」

茶の間からは洗足がやってきて、言葉を途中で止めてやはり目を見開いた。二秒後には眉間《みけん》に皺《しわ》を刻み、半纏の袂《たもと》に腕を突っ込んだ。

「……まったく、なんてことだ。粗大ゴミはとっくに片づけたと思ったのに」

辛辣《しんらつ》な言葉に、マメは「先生、それは可哀想ですよ」と、粗大ゴミ……ではなく、上《あ》がり框《がまち》に伏している男に近づいた。カーコー、と軽いイビキが聞こえることから、眠っているのがわかる。濃紺のスーツに、ウールのトレンチ型コート。革靴は片方だけ脱げて転がって、下半身はいまだ冷たい玄関の三和土《たたき》の上だ。

「脇坂《わきさか》さん」

マメはかがみ込んで、その名を呼んだ。

「脇坂さん、起きてください。風邪ひいちゃいますよ？」

だが脇坂は起きない。息に酒臭さはなく、酔っているわけではなさそうだ。

「どきなさい、マメ。あたしが起こしてやりましょう」

言葉と同時に洗足が前に出た。

あっ、と思ったマメが止める間もなく、脇坂の脇腹にスコーンと蹴《け》りが入る。さすがに思い切り、という力具合ではないにしろ、まるで無防備だった脇坂にはかなりのダメージなはずだ。

「おウふッ！」

ビクンと脇坂が震え、海老《えび》のように丸くなったかと思うと、うめき声を発した。

「ううううう……うう……」

「わ、脇坂さん、大丈夫ですか？」

「ううう……マメくん……大丈夫じゃないです……僕はもうだめです……」

海老状態のまま喋《しゃべ》り始めた脇坂を確認すると、夷が「さて、お出汁《だし》とらないと」と台所に引き上げて行った。声の調子からして、深刻な状態ではないと判じたのだろう。

「いったいどうしたんです？」

「徹夜で仕事して、やっとここまでたどり着いたんですが……」

マメの問いに、脇坂が説明を始めた。

「何度か呼んでも、誰も出てきてくれなくて……待ってるあいだにうとうとしていたら、先生に蹴られました。ひどいです。暴力反対」

三人ともが玄関から遠い台所にいたので、声が聞こえなかったらしい。ちなみに洗足家には呼び鈴がないのだ。

「フン。寝てたくせに、なんであたしが蹴ったとわかるんですか」

「この家で僕にそんなことするのは先生だけです……」

「そうかい。この平和な家であたしにそんな真似をさせるのも、きみだけですがね。蹴ったなんて大袈裟《おおげさ》な。ちょいとつま先で小突いただけじゃないか。そもそも、人んちの玄関に勝手に入ってくるほうに問題があるんです。図々しい。警察が不法侵入してどうすんだい。おまけに今日は一月一日ですよ。元日です。日本全国、家族でお雑煮食べてゆったり過ごす日の午前九時五分に、なんであたしはきみに説教垂れなきゃならないんですか。それともあれですか、きみは妖怪《ようかい》《あけおめウスラバカ》で、用もないのに正月の他人の家を訪問せずにはいられない性質《たち》だっていうんですか？　ええ？　どうなんだい、脇坂くん」

　マメの手を借りて、なんとか上がり框に腰掛けた脇坂は、ぼんやりした顔で洗足を見上げたまま「先生、今年も絶好調ですねえ……」と疲弊した声を出す。

「立て板に毒舌って、先生みたいな人を言うんでしょうね」

「そんな日本語はありません」

「ええと、まずは、あけましておめでとうございます……」

　よたよたと靴を脱ぎ、床の上にぺたりと正座して脇坂が頭を下げた。

男性だが女子力が高く、いつも身だしなみに気を使う脇坂にしてはスーツがよれよれだし、よく見ればヒゲも少し伸びている。徹夜だったのは本当らしい。

「きみの無精髭《ぶしょうひげ》なんか見たから、おめでたさも半減ですよ」

「今年も警視庁Y《ワイ》対《たい》をよろしくお願いいたします……」

「よろしくお願いされたくないね」

「せんせい〜」

情けない声を出す脇坂が哀れで、マメは「さあ、立って下さい。暖かい茶の間に行きましょう」と誘った。洗足は脇坂を一瞥《いちべつ》したのち、さっさと歩み去ってしまったが、茶の間に入れるなとは言わない。

「マメくん……僕、手と顔を洗いたい……」

「いいですよ。なら先に洗面所に」

「なんかもう悲しいよ……元日なのに、こんな有様で……」

マメは脇坂を洗面台に案内し、新しいタオルを渡した。髭を剃《そ》ってもいいかと聞かれ、どうぞと答える。脇坂は顔を洗い、持参の電気シェーバーで髭をあたり、やはり持参の化粧水をつけ、ぼさぼさだった髪を整えて「ふう」と息をついた。

「少しはマシになった？」

「はい。だいぶすっきりして、いつもの脇坂さんです」

「お正月だからね。あ、マメくん、今年も仲良くしてください」

「こちらこそです。よろしくお願いします」

ふたりはペコリペコリと頭を下げあい、そのあと顔を見合わせてエヘへと笑った。

脇坂洋二《ようじ》は警察官である。

具体的にいえば、警視庁ヒト変異型遺伝子保有該当者（通称・妖人《ようじん》）対策本部の、新人刑事だ。あまりに長い名称なので、Y対と略されている。

妖人。

限りなくヒトに近く、だがヒトと同一とは言えない存在。

七年前、偶然に発見された妖人遺伝子は、日本中を混乱させた。

分子生物学的にうんぬんという、難しい部分はマメにはいまひとつわからないのだが、要するに遺伝子の一部がヒトと違っているらしい。ちょっとくらい違っててもいいんじゃあ……とマメは思うのだが『その僅《わず》かな違いが問題なのだ』と主張する学者も多い。

妖人の一部は、人間とは異なった特性を持っている。

たとえばマメは、妖人《小豆とぎ《あずき》》であり、小豆をとぐことによって脳内に快楽物質が多く生み出される。とぐのは大豆じゃだめなのかというと、絶対だめとは言わないが、どうもしっくりこない。やはり小豆がベストだ。といだ小豆はどうするのかというと、普通に煮て食べる。この程度の、さして意味をなさない特性もあれば、《管狐《くだぎつね》》である夷のように、嗅覚《きゅうかく》・聴覚・瞬発力などが一般の人間の域を超える、という場合もある。

《河童《かっぱ》》ならば、心肺機能が優れていて、泳ぎが得意だ。

ただし、こういった能力を持つ妖人は、あくまで少数である。

ほとんどは際だった特性を持たず、そうなると、DNA鑑定をしない限り、自分でも妖人だとは気がつかない。自分は妖人なのか、ヒトなのか——この問題は非常にセンシティブなため、現時点で国民への妖人検査は義務づけられていない。ただし、公務員の一部には検査義務があり、差別なのではないかという議論はいまだに続いている。

「刑事さんは大変ですね。年末も年始もなくて」

マメが労《ねぎら》うと、脇坂はきれいに洗った手にカモマイルの香るハンドクリームを塗りながら「ほんとは甘酒飲んで、帰るはずだったんですけどね……」とぼやく。それからふいにクンと顎《あご》を上げ、

「いいにおい」

と鼻をひくひくさせた。

「あ、芳彦さんがお雑煮の支度してるんです。ついさっきまで、そのことで揉《も》めてたんですよ」

「揉めてた？」

「先生は四角いお餅《もち》の関東風のお雑煮を支持してて、芳彦さんは丸いお餅の博多風がいいって。結局、博多風は明日《あした》になりましたけど」

「あー、お雑煮って、主義主張出るよね」

「脇坂さんも食べていってください」

「嬉《うれ》しいな。けど、先生に叱られないかなあ」

「叱られながら食べる感じでしょうね」

「だよねー」

　あはは、と脇坂が眉《まゆ》を下げて笑う。

　脇坂はこの家に来るたびに、洗足のお小言、説教、あるいはあの毒舌で罵倒《ばとう》されるわけだが、ちっともめげない。見かけは優しげな青年なのだが、踏まれても踏まれても立ち上がる雑草の強さを備えている。もっとも、洗足に言わせれば「鈍いだけです」となるのだろう。裏表のない性格で、マメにとっては大切な友人だ。

「ウロさんはお休みなんですか？」

「いえ、本庁で年越ししたはずですよ。もっとも、ウロさんは毎年そんな感じみたいですけど」

　ウロさんこと鱗田《うろこだ》は、脇坂の相棒のベテラン刑事だ。茫洋《ぼうよう》としているようで、観察眼は鋭い。警察が大嫌いで気難しい洗足の信頼を得ている、希有《けう》な人物でもある。

「改めまして、あけましておめでとうございます」

　茶の間の入り口で、脇坂は正座をして頭を下げた。

　炬燵《こたつ》に入って焙《ほう》じ茶《ちゃ》を啜《すす》っていた洗足が「寒いから早く閉めなさい」とむっつり答えた。要するに、入ってよろしいという意味だ。脇坂はホッとした顔をして、一番下座の定位置についた。炬燵に足を入れると「ほわあああ」と盛大なため息を零《こぼ》す。

「あったかい……炬燵最強……」

「脇坂さんのお部屋は、炬燵ないんですか？」

マメも決まった位置に座る。一番奥にいる洗足から見れば左斜《はす》向かいであり、脇坂から見たら右の斜向かいだ。つまり、洗足と脇坂は炬燵を挟んで向かい合っている。

「ないんだよね。床暖房はあるけど」

「ならやっぱり暖かいでしょ？」

「それなりに暖かいけど……やっぱりほら、炬燵はこの布団がね……暖かいとこに布団があるなんて、これはもうなんていうか……人間を本当にダメにするシステム……」

ぐにゃあ、と上半身から力の抜けてきた脇坂を見て、洗足が「きみは端《はな》からダメでしょうが」と毒を吐く。

「ぐにゃぐにゃしてないで、さっさと用件を言いなさい。言っときますけど、雑煮ができるまでしか相手をしないからね」

「あ、はい。実は、例によって、急ぎ先生にお伺いしたいことがありまして」

「《人魚》だろう」

「…………え？」

「なんだい。違うのかい」

ぽかんとした脇坂が、金魚のように口をパクパクさせたあと「えっ、えっ、なんで？」とマメを見た。

そんなことを聞かれても、マメにだって訳がわからない。首をふるふると横に振って、洗足を見る。洗足はいつもと変わらぬ様子で、炬燵の上の新聞を捲《めく》る。

「あの、先生、なんで僕が《人魚》のことを聞くってわかったんですか？　僕まだなにも喋《しゃべ》ってませんよね？　僕のオデコに《人魚》って書いてありますか？」

「だったら少しは面白いが、書いてません」

「なら、なぜ！」

「喧《やかま》しい《あけおめウスラバカ》だなあ……。あたしは推測しただけですよ。たまたまそれがあたってたわけだ」

「推測って……いや、ほとんど超能力ですよ」

　脇坂が驚くのも無理からぬ話だ。推測、と洗足は言うが、なにをどう推測したら《人魚》が出てくるか、マメにもさっぱりわからなかった。

　たしかに、脇坂がこの家に来る理由は『妖人について聞きたい』という場合が多く、まして元日の朝に来ているのだから、緊急の刑事事件絡みなのだろう。そこまではわかる。けれど、他のヒントは一切なく、一足飛びに《人魚》という答にたどり着くなんて──あまりに摩訶不思議《まかふしぎ》だ。

「先生、僕も知りたいです。なんで脇坂さんが《人魚》について聞きに来たって、わかったんですか？」

　身を乗り出して聞くと「マメがそう言うなら説明しようか」と洗足は目を上げる。

するとと炬燵の中からにゃあさんが出てきた。のしっ、と新聞の上に載ると、満足げに丸くなる。にゃあさんは洗足家で飼われている雄の茶トラ猫で、どっしりと風格ある体つきをしている。

「ああ、もうしばらく読めないねえ……猫ってのは、どうして新聞の上がこんなに好きなんだろう」

「せ、先生、そんなことはいいから、早く種明かしを」

急《せ》かす脇坂に「あたしは手品なんかしてません」と眉を寄せてから、洗足はにゃあさんの背中を撫《な》でる。にゃあさんはちっとも嫌がらない。

「推測の論拠は、ごく一般的なものだよ。これだ」

「猫、ですか」

「違う」

「太った猫、ですか？」

「今年もきみの馬鹿さかげんは素晴らしい安定ぶりだね。猫じゃなくて、猫の下」

「あ、新聞？」

今度はマメが言うと「そうそう。マメは賢い」と褒められた。ずいぶんな贔屓《ひいき》ぶりだとわかっていても、尊敬する人に褒められると嬉しくて、マメはつい頬が緩む。洗足は両手でにゃあさんをズリズリと押し、すっかり温まった新聞の、ある記事面を見えるようにした。

「去年から、例の猟奇殺人事件で世間は大騒ぎだ」

猟奇殺人事件という言葉に、脇坂の背中が伸び、刑事の顔になる。

「豊島区少女殺害事件、ですか」

「そう。品のないマスコミ流に言えば『美少女カニバリズム事件』だね」

その恐ろしい事件は、新聞やテレビでたびたび報道されていた。

豊島区に住む十四歳の女の子が、男に攫《さら》われて殺害され、遺体の一部を食べられたという事件だ。最初に聞いた時、マメも背中がぞわりとしたのを覚えている。テレビで捕まった犯人の顔を見たが、ごく普通の中年男で、むしろ穏和そうな顔つきをしており、そこがまた怖かった。

「被疑者は……もう自白しているのだから、犯人と言っていいのかな。彼は精神疾患の通院歴のある中年男性で、『殺すつもりはなく、食べたかっただけ』と供述した。そうだね？」

「はい。『肉を切ろうとしたら暴れたので、仕方なく首を絞めたら死んでしまった』と……。事実、可哀想な少女は腿《もも》の一部を切り取られていました」

「事件の発生は？」

「ええと……十一月二日に女の子が消息を絶ち、殺害されたのは翌三日です」

脇坂がタブレットを操作しながら答える。新聞の上では、にゃあさんがまたもとの位置に戻り、どっしりと新聞を温め始めていた。

「一時《いっとき》はテレビで、怪しげなコメンテーターたちがカニバリズムについて知ったかぶりをしまくってて、あたしはうんざりでしたよ。だいたい、『美少女カニバリズム事件』ってなんなんだい。日本語として問題のあるネーミングだ。それじゃまるで、美少女が食人をしたみたいじゃないか」

　洗足はそこで言葉を切り、にゃあさんに「どいてくれませんかね？」と真顔で聞いた。にゃあさんはチラリと洗足を見て「ぶみゃん」と鳴き、その場で転がって腹を見せる。一応、愛想はふりまいているが、どく気はないらしい。

「世に禁忌はいろいろあるが、人が人を食べるのは最大の禁忌のひとつです。それが破られたのだから、まあ、世間が動揺するのは無理もない。人々はみな、知りたいと思う——犯人は、なぜ少女を食べたのか。その理由について」

「それは……精神疾患のせいじゃないんですか？」

　脇坂が言うと、洗足はにゃあさんの腹をフカフカ触りつつ「たしかに、妄想や幻覚に捕らわれて、罪を犯してしまうことはあり得るだろうが」と続けた。

「では、なぜあの少女でなくてはならなかったのか。通り魔的な殺人事件ではないんだろう？」

「そうなんですよね。犯人はわざわざ少女の住む街まで移動して、拉致《らち》してます。つまり彼女を狙ったのは確かなんですが、両者の関係性はまだわかっていません。犯人は押し黙っているし、少女の家族も犯人のことはまったく知らないと」

「彼女が被害者として選ばれてしまった理由……」

洗足は一向に新聞の上から動かないにゃあさんを抱え上げ、「こうなったら実力行使ですよ」とぼやきながら炬燵《こたつ》の上から下ろす。にゃあさんは不服そうに「ぶみ」と鳴いたあと、のしのしと移動してマメの膝《ひざ》の上にどっしりと落ち着いた。数分後に足が痺《しび》れるのは確定だ。

「あたしはね、これを読んで、《人魚》が関わっているのではと思ったんです」

洗足が、ホカホカの新聞記事を示して告げる。

「えっ。《人魚》に関する記事があったんですか？」

「そうは書いてないが、推察はできる」

マメと脇坂は身を乗り出して、洗足の示す記事を読んだ。過日の豊島区少女殺害事件の続報だ。被疑者は犯行を自白したのち、黙秘を続けているのだが、警察の調べによってある事実が発覚したという。

──被疑者は一年前まで、すでに解散している宗教法人【わかさ会】の信徒であり、警察は【わかさ会】関係者への聞き取りを開始した。

「あ、この件は僕も昨日聞きました。【わかさ会】は一年ほど前、設立者で教主だった人物が亡くなり、任意解散してるんです。……でもこれと《人魚》ってなにか関係あるんですか？」

脇坂の言葉に、洗足はほんの僅《わず》かに首を傾げる。長い前髪がサラリと動いた。

「ふむ。あたしは、きみはこの件で来たのかと思っていたんだがね」

「いえ、僕は別件です」

脇坂は言い切る。

「別件だけど、《人魚》なんです」

別件だけど、人魚？　どういう意味だろうか。マメにはよくわからなかったが、今はふたりの会話に割り込むことを控えた。

「とりあえず、先生のほうの《人魚》から、先に聞かせてください」

洗足は新聞を畳みながら「なら、一応説明しようか」と語り出した。

「なに、単純な話だよ。あたしはたまたま、この【わかさ会】を知っていたんです。二年半ほど前に、ある知人から相談を受けてね。母親が新興宗教に嵌《は》まってしまって心配だ、という内容だった」

「【わかさ会】は問題のある団体だったんですか？」

脇坂の問いに「いいや」と答える。

「話を聞いたところでは、そうとも言えないね。相談者は、母親が献金や布教に精を出すのが不安だったようだが、献金も布教もごく当然の宗教活動だ。それ自体はなんら問題はないし、信徒の生活を脅かすような額の献金を要求していた節もない。霊験あらたかな壺《つぼ》だの、幸運を呼ぶ数珠《じゅず》だのを売りつけている様子もない。教義の書かれた冊子を捲ってみても、『人は助け合ってこそ』『渇愛よりも慈愛を』『無欲とは幸福なり』と、あたりまえにいいことが書いてあるだけだ。本人がそういった教えで心の安寧を得られているなら、無理にやめさせるのは逆効果だと言っておきました」

ただ、と洗足は続ける。

「その時に知った、教主のプロフィールが気になってね。ちょっと調べてみた。井上《いのうえ》ハツエという女性で、当時すでに九十八歳」

「そりゃまたご長寿ですね」

「亡くなったのが、数えで百二歳。たしかに長寿だ。この井上家は女性が長生きする傾向があったらしい。そして、ハツエさんはこの長寿を『人を救うために、天が授けてくださったもの』と捉《とら》えていた。……と同時に、井上家にはある伝承があった。我々が長寿なのは『ハッピャクビクニ様の御慈悲』である、と」

「ハッピャク？」

「はっぴゃく？」

マメと脇坂は同時に口に出した。なんだか聞き覚えがあるような気がするのだが、思い出せない。すると洗足がふわりと右手を上げ、細い指先が宙に文字を書く。八百比丘尼……その文字を認識すると同時に、マメは「あっ」と声を立て、脇坂もまた「あ！」と目を見開いた。

「人魚の肉を食べて長生きした尼さんだ！」

そう。その伝説である。マメもコクコクと頷《うなず》く。

「きみの言い方だと身も蓋《ふた》もない感じがするが、まあ、そうだね。ヤオビクニ、と読む場合が多い。日本のあちこちに伝わる伝説で、若狭の国に住む娘が、父親の持ち帰った人魚の肉を食べ、不老不死になったというものだ。その後、家族にも夫にも先立たれた娘は尼になった——。井上家はもともと若狭の国、つまり今の福井県南西部の出身らしい。【わかさ会】という名称も、『若狭』に由来してるんだろう」

「そうか、それで《人魚》と繫《つな》がるわけですね……」

ふむふむと脇坂は頷き、洗足は半纏の袂《たもと》に腕を入れる。

「差し支えなかったら教えてほしいんだが——遺体の一部を食べられていた少女は、妖《よう》人《じん》だったのかい？」

「多少差し支えますが、先生にならお話しします。妖人ではありませんでした」

「そうか。ならばあたしの予測は外れたようだ。少女は《人魚》だから食べられたのかと思ったんだが……」

「え！　《人魚》を食べたら、ほんとに不老不死になれるんですか！」

叫ぶように聞いた脇坂を、洗足は侮蔑《ぶべつ》の視線で睨《ね》めつけた。

「……正月からバカっぷりに磨きがかかってるねえ。鏡開きの日にはぜひ来ておくれ。きみの頭で鏡餅《かがみもち》を割ることにしよう」

「あ、やっぱり違うんだ」

「あたりまえでしょうが。不老不死など夢物語だよ」

新聞を畳みながら、洗足は言う。

「死ななかったら困るじゃないか。いつか死ぬから生きてる意味がある、あるいは意味があるような気がしていられるんだ。ただ、犯人に精神疾患歴があるなら、理性的な判断ができずに犯行に至った可能性は否定できないからね」

「ですよねえ。死なない、老いないなんて人間いませんよねえ。せいぜい老化を遅らせるくらいで……僕もこのあいだ、身体の酸化を防いで細胞を若返らせるというサプリメントを買っちゃって、これがまた結構高くて……」

「勝手に酸化でもアルカリ化でもしなさい。で？　きみのほうは？　なんで《人魚》なんだい」

「あ、そうです。それなんです。大変なんです」

脇坂が炬燵の中で正座をし直して言う。

「昨日、つまり大晦日《おおみそか》の深夜、誘拐事件が発生しました。連れ去られたのは――《人魚》なんです」

鱗田が力そばを食べようとしていた矢先、その連絡は入った。

「はあ？　《人魚》？」

割《わ》り箸《ばし》の先を汁で湿らせながら、鱗田は携帯電話に言った。

『そう、《人魚》です。Y対さんの出番というわけですよ』

携帯電話から聞こえる玖島《くじま》の声は不機嫌だ。捜査一課としては、またY対と組んで仕事をしなきゃならんのかと、苛立《いらだ》たしさを抱えているのだろう。

「で、《人魚》がどうしたって？」

『連れ去られたんです。さきほど家族のところに脅迫メールが入りました』

誘拐。もしくは略取事件だ。

「つまり被害者は妖人で《人魚》だと？」

『そうです。台帳で確認しました』

「《人魚》ねえ……」

ずるずるっと蕎麦《そば》を啜《すす》りながら鱗田は呟《つぶや》く。玖島が『なんかすごい音してますけど』と苦々しく言った。

「年越《としこ》し蕎麦くらい食べさしてくれよ。もう年は越しちまってるけどな……ほんとなら俺は非番なんだぞ」

『しかたないじゃないですか。Y対はウロさんと脇坂しかいないんだから』

「はいはい。十分で行くよ」

鱗田はそう答えて、一度電話を切った。

大晦日、藪蛇庵《やぶへびあん》は深夜一時まで営業するそうだ。とはいえ、このへんは初詣《はつもうで》客を見込める神社があるわけでもなく、相変わらずの閑古鳥である。ちなみに今日の鱗田の注文は力うどんだったのだが、出てきたのは力そばだ。ここの店主が注文を取り違えるのはいつものことなので驚かないが、今日に限ってはわざとかもしれない。少ない客のほとんどが年越し蕎麦を注文するので、うどんの釜《かま》が冷めており、沸かすのが面倒だったのでは……などと邪推してみた。まあ、蕎麦もうどんも好きなので、どっちだろうと構わないのだが。

急いで餅入り蕎麦を腹に収め、鱗田はぴったりの金額を卓の上に置く。

「ごちそうさん。今年もよろしくな」

「へえ。毎度おめでとうございます」

奇妙な挨拶《あいさつ》は「毎度ありがとうございます」と「あけましておめでとうございます」が混じったものだろう。なんだか冴《さ》えない年越しであるが、家族のいない鱗田にとってはこんなものである。

「ウロさん、遅いですよ。もう十七分経ってます」

捜査一課に顔をだすなり、文句を言われた。高そうな腕時計を指先で叩《たた》く玖島は、相変わらず銀行員みたいにピシリとした背広姿だ。銀縁の眼鏡の位置をちょくちょく気にしながら、鱗田を睨む。

「そりゃ悪かったよ。で、状況は？」

「被害者が消えたのは初詣客でごったがえす神社で、すでに機捜が入ってますが、あの人出じゃ不審人物を見つけるどころじゃないでしょう。これが連れ去られた子です。今《こん》野《の》水希《みずき》、二十三歳会社員」

スイスイとタブレット端末を操作して、玖島は写真データを呼び出す。社員証に使われている顔写真だろう。少し硬い表情だが、笑えば可愛らしいのは想像できた。

「大晦日の夜、午後八時から目黒区にある友人宅でのカウントダウンパーティに参加していました。パーティといっても、仲のいい女友達が六人集まった程度のものです。十時半になると、みんなで近所の神社に初詣に行こうという話になります。友人のマンションから徒歩十五分のそこそこ大きな神社で……ここです」

タブレット画面が神社の公式サイトになる。

「ふだんは静かな場所ですが、大晦日は近隣の住人で混雑するそうです。友人たちが被害者を見失ったのが、十一時すぎ。被害者の実家に、脅迫メールが入ったのが十一時十七分」

鱗田は革バンドの角が剝《は》げかかった腕時計を見た。現在時刻は午前一時前。

「つまり、この子が消えてから、二時間てとこか。メールは母親あてかい？」

「母親はすでに亡くなっているそうで、父親に届きました。発信元は調査中ですが、まあ使ってるのは飛ばしでしょう」

飛ばしとは、他人名義や架空名義で契約された、足のつかない携帯電話のことだ。

「これがメールを転送してもらったものです。件名は『tasty?』本文はなしで、画像のみ。この画像が……なんというか」

刑事として、それなりに凄惨《せいさん》な現場も見てきたはずの玖島が言い淀《よど》む。

「そんなにひどいのかい」

「いえ、パッと見はぜんぜん……ただ、なんか精神的にジワジワくるんですよ」

見せられた写真は、いわゆるコラージュだった。

横たわっている人魚。上半身は可愛らしい女の子がアニメのような絵柄で書かれている。笑顔なのだが、涙が出ている。涙だけつけ足されたのだろう。その下半身は魚なのだが……途中から刺身の写真が巧みに合成されている。

つまりこれは、【活《い》き造りにされた人魚】の画像なのだ。

「ふうん。悪趣味だな」

鱗田は表情を変えずに呟いた。

「これを見た父親は言葉にしがたい不安感に襲われ、すぐ娘に電話をしたそうです。だが、電話は通じない。先ほど友人に確認したところ、みんなで参拝を待つ列に並んでいた時、水希さんは、コンビニでトイレを借りてくると言って列を離れたきり、戻ってこなかったそうです」

さらに数分後、二通目のメールが届いたという。

添付の写真を見た途端、父親は事態の深刻さを確信した。写真は縛られた両手のアップで、綺麗《きれい》に塗られたネイルから娘だとすぐにわかった。会社の決まりで、ふだんはクリアカラーしか塗れないのだが、正月休みのあいだだけちょっと華やかにしたと……つい昨日、本人から見せられたばかりだったのだ。ピンクベースに雪の結晶模様のデザインは、間違いなく娘の爪だった。

「警察に連絡すれば娘に危害が及ぶのではと、父親はしばらく迷ったそうです。しかし、その後犯人からは連絡もなく、いてもたってもいられない父親は十一時三十五分、一一〇番しました」

金の要求がないならば、怨恨《えんこん》の線が濃い。詳しい話を父親から聞く必要がある。さらに気になるのは《人魚》についてだ。

「この水希って子は、本当に《人魚》なのか？」

「台帳ではそうなってますね」

「台帳はあてにならんからなあ……」

「まあね。なら、例の先生にお伺いを立てたらどうです。ウロさんか脇坂なら、話を聞けるんですから」

玖島の刺々《とげとげ》しい言い方には理由がある。先生――つまり洗足伊織は、Y対に欠かせない協力者だ。彼自身も妖人《ようじん》であり、特別な能力を持っている。

洗足には妖人がわかるのだ。

見ただけで、ヒトと妖人の区別がつく。さらに、その妖人が何なのか……つまり《管狐》なのか《河童《かっぱ》》なのか、そういった属性もわかる。もっとも、妖人としての特性をとくに持たない『属性不明』の場合は、洗足にも判断のしようがないらしい。

加えて、洗足は妖人に関する造詣《ぞうけい》が深い。したがって、捜査に力を貸してもらうことも多いのだが……基本的に警察嫌いなのだ。警察云々《うんぬん》というより、特別な権力を手にした組織を安易に信じないタイプの人間といえる。ところが玖島は、自分が手にした権力を誇示したがるタイプであり、当然ながら、洗足から毛虫のように嫌われている。いや、毛虫のほうが、洗足には大事にしてもらえることだろう。

「そう拗《す》ねるなよ。そもそも、あんたらが妖琦庵《ようきあん》の周りに刑事を張りつかせたりしたから、先生がますますおかんむりになったんじゃないか」

「あれは当然の措置です。青目《あおめ》との繋《つな》がりが確認されている以上、見張らないわけにはいかないでしょう」

青目甲斐児《かいじ》。未成年者の略取誘拐、ならびに傷害事件で指名手配されている男だ。

青目と洗足は旧《ふる》い知り合いで、なにがしかの因縁があるらしい。逃亡した青目が洗足家に現れる可能性は高いと見て、二十四時間体制で張り込んでいた時期があった。洗足と青目の関わりがなにか特別なものであることは鱗田も感じているが、それにしたって、ああもべったり刑事が張っていては、こそ泥だって近づきはしないだろう。狡猾《こうかつ》な青目なら、なおさら現れるはずもない。

結局、その後に起きた諸々《もろもろ》の事件で人手が足りなくなったこともあり、張り込み態勢は解けた。現在は鱗田と脇坂が定期訪問し、様子を報告することになっている……というか、洗足家の敷居を跨《また》げる刑事が鱗田と脇坂だけなのだ。他の者はたいてい門前払いを食らうか、洗足の毒舌機関銃によって蜂の巣にされる。

「とにかく先生のとこに行かなきゃならんだろうな……。玖島さん、脇坂に連絡は」

「彼には神社に行ってもらってます。……あいつたまたま、その神社の近くにいたんですよ。KSCとかの会合がどうとかで、甘酒がなんとかかと」

「ああ。KSCね」

「ウロさん知ってるんですか。なんなんです、それ」

KSCはすなわち、警視庁スイーツクラブである。

もちろん非公認の団体であり、要するに警視庁の甘い物好きの集まりだ。言い出しっぺの脇坂が代表で、月に一度、話題のスイーツを食べに行くのが主な活動と聞いている。鱗田も最初はなんじゃそりゃ、と小馬鹿にしていたのだが、脇坂はKSCによって所属の垣根を越えた人脈を作りつつある。もっとも、本人はそんな効果を意図していたわけではない。よくも悪くも、物事を深く考えないタイプの青年なのだ。そういえば、大晦日《おおみそか》まで働いているメンバーたちと神社の甘酒を飲みに行くと話していた。

「あんたは知らんでいいと思うよ。じゃあ、脇坂がそっちから戻って、朝になったら先生のところに行かせるとしよう」

「ウロさんは」

「《人魚》の父親に話を聞きに行きたいね」

「わかりました。所轄に連絡を入れておきます」

銀縁眼鏡のテンプルをクイと上げて言った。玖島はこれから事件のあらましを上に報告し、捜査本部起《た》ち上げの準備に入るのだろう。

鱗田は廊下を歩きながら脇坂に電話を入れてみた。

だが繋がらない。人混みのせいで電波状態が悪いようだ。それにしても、事件現場に居合わせるとは、運がいいのか悪いのか……甘酒にはありつけたのだろうか。

警視庁舎を出た途端、寒風に髪を乱される。鱗田は慌てて、自分の頭頂部をペタリと押さえた。まだ禿《は》げてはいないが、年々薄くなっている毛髪なのである。大事にしたい。

目黒署で所轄の刑事に落ち合い、今野家を訪れた。

住宅街にある、こぢんまりした一戸建てだ。窮屈そうな車庫には軽自動車が駐《と》めてあった。明るいパステルカラーの車体だったので、娘が運転するのかもしれない。

時刻は午前二時半。水希の父親は憔悴《しょうすい》した顔つきで、居間のソファに腰掛けていた。

鱗田が名刺を出して挨拶《あいさつ》すると「あ」と「は」の中間くらいの音をかろうじて出し、項《うな》垂《だ》れるように頭を下げた。

「恨みを買うような子ではありません」

父親は力なく言う。犯人に心当たりはまったくないと。

「母親を早くに亡くして……家のことをよく手伝ってくれました。明るい子で友人も多く、年の離れた兄も水希をとても可愛がっていて……」

「お兄さんは今どちらに？」

「関西の大学で非常勤講師をしてます。年末年始は戻ってくる予定でしたが、仕事の都合で帰省できなくなり……電話はしたのですが、まだ連絡は取れていません」

「恋愛関係のトラブルはありませんでしたかね。可愛いお嬢さんだから、もてたんじゃないんですか？」

どうでしょう、と父親はため息をつく。

「大学生の頃はボーイフレンドがいたようですが……就職してからは疎遠になったと聞いています。最近のことはよくわかりません……」

「休日の過ごし方は？」

「土日が休みで、どちらかは家で溜《た》まった洗濯をしたり、掃除をしたり……もう一日は、友人と会うと言って出かけることが多かったです」

「親しい友人の名前と連絡先がわかりますか？」

「名前しか……」

家の中から電話帳という存在が消えて久しい。みな、各自の携帯電話にデータを取っているので、家族はせいぜい名前を知っているだけだ。ただし、逆に言えばすべて通信記録として残っているとも言える。

親しい友人の名前を聞いたあと、鱗田は「《人魚》についてですが」と切り出した。

「まず基本的なことを確認させてください。娘さんは妖人DNA保持者なんですね？」

「はい」

「お父さんは違う？」

「はい。私も妖人検査は受けていますが、違いました。あの子の母親が《人魚》だったんです。と言いますか……母方の一族は古くからの《人魚》の家系で……特に女性には強く《人魚》の血が現れると……」

「ちょっと待ってください、今野さん。古くからと言っても、妖人遺伝子が見つかってまだ七年……いや、やっと八年というところですよ？」

鱗田の問いに、父親は「はあ」と弱々しく頷《うなず》き、

「そのへんは私にもよく……ただ、義理の父から幾度となくその話を聞いていて……」

義理の父、つまり水希の母方の祖父というわけか。

「そうだ……お義父《とう》さんにも連絡をしないと……ああ……きっとすごいショックを受けるだろうな……血圧が上がって倒れたりしないといいんだけど……水希……どうして、どうしてこんなことに……」

文字通り頭を抱えてしまった父親を、所轄の女性刑事が励ましている。

いよいよ顔色が悪くなってきたのを見て、少し横になってもらうことにした。眠れるはずもないだろうが、ソファに横たわってもらい、毛布をかける。

女性刑事が「私たちが全力で娘さんを探します」と何度も声を掛けている。父親もまた、幾度となく「よろしくお願いします。どうか、どうか……」と繰り返す。

鱗田は先刻の写真を思い出す。

笑顔で涙を流している人魚の女の子。

刺身に仕立てられた下半身。てらてらと光る脂と赤身。手の込んだ、不気味な写真だった。あの写真の意図は？　無論、家族を脅すためである。それはわかっている。けれどその先がない。犯人は金の要求をしてこない。ただ脅し、精神的に傷つける……となるとやはり怨恨《えんこん》による犯行か。

だとしたら、水希自身に恨みがあるのではなく、家族にあるとも考えられる。あの凝ったコラージュは水希ではなく、家族が見るのだから。

メールのタイトルは……なんだった？

鱗田は手帳のページを遡《さかのぼ》る。愛用している小さな黒い手帳には、汚い字がみっちり書かれている。汚い上にくせ字なので鱗田以外は判読が難しいだろう。それでいい。万一、落としたりなくしたりしたとき、他人にはさっぱりわからないくらいがいい。

「…………」

あった。見つけた。

tasty?

美味《おい》しいかと、聞いている。

鱗田の頭の中で、なにかがちらりと光った。違和感の信号だ。なにかが引っかかる。なにか思い出しかけている。そうか、あの事件。豊島区少女殺害事件。美少女カニバリズム事件だ。もう被疑者は捕まっている。どうしてあの事件を思い出したのか。

誘拐。少女。食べるために。

誘拐。人魚。刺身。

人魚、人魚、人魚……伝説。

あれはなんだった、不老不死の……八百比丘尼、だ。

人魚。刺身。美味しい？

……まさか。

鱗田は無意識に自分の耳を引っ張っていた。考えるときの癖だ。痛いほどにギュウギュウと引っ張りながらひとつの結論にたどり着く。残念ながら、よい結論ではない。

犯人が今野水希を誘拐した目的。

それは——《人魚》を食べるためなのではないか？

※

いまだに、母の夢を見る。

懐かしい写真を見た日は、必ずと言っていいほどに見る。

島を出る時に持ってこられたのは、たった一枚のモノクローム写真だ。幼い私を抱いた母が写っている。

背景は海。モノクロだから天気はよくわからない。

だが少なくとも荒れてはいない。母が仕事の恰好《かっこう》をしているからだ。白い綿シャツにやはり白の腰巻き。たしか母はそれらを『磯着《いそぎ》』と呼んでいた。頭にはやはり白い手ぬぐいで鉢巻きをするのだが、写真では取っていたように思う。濡《ぬ》れて光る黒髪を、記憶している。

母はいつも、海にいた。

だから私もいつも、海で母を待っていた。

——おお、待っとんたんか。ええ子やな。ほれ、おいで。おかあちゃんとこおいで。

今日はだいぶんゴケンジョが捕れよったで。オンビもちぃとは捕れたんや。

私はたぶん、五歳かそこらだったろう。駆け寄って、母に抱きつく。豊満な胸に顔が埋まり、苦しいほどに抱き締められる。

私には友達がいなかった。あの島に流れてきたよそ者だったからだ。だからいつもさみしかった。母も同じだったように思う。漁業の島ではあったが、海女《あま》はいなかった。だからいつも母はひとりで仕事をしていた。

——ええ子やな、ほんまにええ子。ああ、磯シャツがひやいやろ。ちいと待ち。ほれ、これでええ。おいで。

母は磯シャツを脱ぎ、半裸で私を抱き締めた。海女である母は、海辺で裸体を見せることに躊躇《ためら》いがなかった。温かな母の身体。乳の膨らみ。そこは私が唯一安心できる場所だった。

目を閉じる。

深く息を吸う。磯の香り。母のにおい。

いまでも時々、夢に見る。

人の脳は不思議だ。夢の中でにおいまで再現するのだから。懐かしく愛《いと》おしいにおいが——いつも最後には死臭になる。

顔を上げると、母はもう息絶えている。ぐったりとして首に赤い痕《あと》がある。

そんな夢を、見続けている。

二

「わあ、夷さん、すごくかっこいいです！」

「ほんとにかっこいいなあ。僕、若干嫉妬《しっと》しちゃいますよ」

マメと脇坂はそう褒めてくれたが、芳彦の気持ちは晴れなかった。なんだって自分がこんな恰好をしなければならないのか、どうにも釈然としない。

流行だという、細身のスーツはチャコールグレイ。差し色のニットベストはややくすんだ煉瓦色《れんがいろ》で、ネクタイは葡萄色《ぶどういろ》だ。確かに洒落《しゃれ》たコーディネートなのだが……その洒落れているのが落ち着かない。

「うん、悪くないね。有名大学を出て高級官僚コースを順調に進みつつ、それなりにセンスもよくて、そんな自分にちょっと酔ってて、自己愛は強くてややマザコン気味であるが、結婚するには悪くない条件の二十代後半男性に見えます」

腕組みをして、芳彦の頭から爪先までを眺めるのは伊織だ。

「先生、ぜんぜん褒めているようには聞こえません」

「まあ、褒めてるかどうかは微妙なとこです」

「それはないでしょう、先生がやれというから、こんな恰好をしてるのに」

ネクタイのノットを気にしながら、芳彦は文句を垂れる。窮屈で敵《かな》わない。洗足家の家令として、ふだんからだらしない恰好はしないよう心がけている芳彦だが、かといってスーツを着る機会などまずない。正装を求められる場合は、和服のほうが多いくらいだ。もちろん、着つけは自分でできる。ふだん、伊織の着つけを手伝っているのは芳彦なのだから。

「……ああ、気が重い。こんな恰好で若い娘さんたちを騙《だま》すなんて」

これから芳彦と脇坂が向かおうとしているのは、よりによって婚活パーティなのである。いわゆる潜入捜査というやつだ。

「だいたい、なんで私が同行しなくちゃならないんですかね？　私は警察官じゃないんですよ？」

「ほんと、すみません。Y対は常に人手不足で」

脇坂が謝り、「今回はウロさんと行くわけにもいかないし」とつけ足した。

「まあ、そうだろうけど……」

鱗田は五十すぎである。ミドル向けの婚活パーティなるものもあると聞くが、今回の参加規定は三十代までとなっているらしい。ちなみに見た目は二十七、八の芳彦だが実年齢はもっと上なので、実際はこの規定に反している。

「なら、脇坂さんだけでいいじゃないですか」

「少しでも多くの情報が欲しいんです。ひとりよりふたりのほうが効率がいいし……それに、ほら、僕は身動きが取りにくいかもしれないですから」

「どうして」

芳彦が聞くと、脇坂は「いやあ」と照れたように視線を外して首の後ろを掻《か》く。

「婚活パーティですよ？　僕の周りに女の子が集まっちゃうかもしれないでしょう？　そしたら動きたくても、動けません」

その答にどう反応したらいいのか迷っていた芳彦だが、伊織が先に「実に、幸せな脳《のう》味噌《みそ》を持って生まれた男だね」と呆《あき》れながら言った。芳彦も概《おおむ》ね同意見である。

「はい、僕、ポジティブシンキングを心がけてますから！　そんなわけで、夷さんにご同行いただけるとすごく助かるんです。今回の参加者には、水希さんと顔見知りの会員が結構いるみたいなので、そちらから新しい情報を引き出せるかもしれません。刑事だって言うと構えちゃう人も多いから、参加者として自然に接したほうがいいと思うんですよ。どうか、ご協力お願いします！」

頭を深く下げる脇坂の後ろで、伊織が「いいじゃないか」としれっと言った。

「たまには公僕に協力してやりなさい、芳彦」

「先生、なんか面白がってませんか」

「まさか。……芳彦、会場にすごく好みの子がいたらどうします？　口説いてきても構わないんですよ？　クク……」

やっぱり面白がっている。まったく食えない人だ。一方でマメは「すてきな出会いがあるかもしれませんよね」などと真面目顔で頷《うなず》いていた。

玄関で靴を履くと、脇坂が襟の後ろになにか小さな機械をつけてくれた。

「集音器《マイク》です。会話はすべて録音されるようになってます」

「やれやれ……。せめて、美味《おい》しい料理にありつけるといいんですけどね……」

主《あるじ》がやれと言うのならば、家令は従うしかないのだ。

そもそもの始まりは『人魚誘拐事件』である。

新年早々、世間を騒がしている事件であり、警察内では『目黒区妖人《ようじん》女性誘拐事件』として捜査本部が立っている。元日に脇坂が妖琦庵に持ち込んだ事件だ。

これよりも早く、去年の十一月に十四歳の少女が殺害され、遺体の一部を食べられた猟奇事件があった。『豊島区少女殺害事件』であり、当初は『美少女カニバリズム事件』とマスコミは呼んでいた。しかし、現在ではこちらが『人魚少女誘拐事件』と呼ばれていて、非常にややこしい。事件発生から一週間が経過しているが、いまだ容疑者は絞り込めていない様子だ。

「まあ、今では両方『人魚』絡みなわけですけど……去年の殺人事件のほうは、先生の指摘があるまで『人魚』というキーワードはなかったんです」

古いセダンを運転しながら脇坂が言った。脇坂は紺のスーツで、濃いピンクのネクタイがよく似合っている。こんなにピンクの似合う男も珍しい。

「先生の予想通り、【わかさ会】の代表だった井上ハツエの一族には、八百比丘尼の言い伝えがありました。なんでも、旅の途中に行き倒れた八百比丘尼を助けた祖先が、礼として比丘尼の髪をひと房与えられたと。その髪を浸した酒を飲んだところ、一族には長寿の力が与えられた……お伽噺《とぎばなし》めいてますけど、実際井上家は長生き家系でした」

「でも【わかさ会】は少女の殺害に関与していないんでしょう？」

「ええ、ぜんぜん」

なめらかなステアリングさばきで脇坂が答える。伊織がいつか『あのウスラバカ刑事、運転はうまいですよ』と言っていたが本当らしい。

「犯人は統合失調症を患ってました。二年前に母親を亡くしてから、通院も次第におろそかになっていった。幻覚や幻聴に悩まされ、自分はもうすぐ捉《とら》えられ、拷問されて殺されるのだと思い込んでいたようです。そこで、殺される前に【死なない身体】になろうと考えた……かなりぶっ飛んだ発想ですが、本人は真剣だったんでしょうね」

「【死なない身体】というのが、つまり不老不死？」

「というか、もともと不老不死という言葉を以前から聞いていて、そこから【死なない身体】を連想したのかもしれません。亡くなった母親が、よく被疑者に語っていたらしいんです。『教主様が長寿なのは、比丘尼のお慈悲のおかげだ。比丘尼は人魚の肉を食べて、不老不死になったお方だ』と。母親もまた【わかさ会】の信徒でしたから」

だから彼は、人魚を探した。

その頃には幻覚・幻聴が悪化し、理性的な判断力はほとんどなかった……というのが医師の見解らしい。

「タイミングの悪いことに、同じ頃ネット上に妖人台帳がリークされました」

妖人台帳とは、法務省が管理しているデータである。妖人DNAを持つ者の氏名、住所などの個人情報と、その妖人属性が記載されていて、当然のことながら公開はされていない。

「もっとも、すぐに偽物だとわかったんですけど……犯人は真偽の判断なんかつきませんからね。自分の家から一番近い《人魚》を探し出し、それが被害者の少女でした」

偽の妖人リストは、かなりの数が存在しているようだ。

自分の友人や知人を勝手に妖人に仕立て上げ、リスト化するのである。こいつは首が長いから《ろくろ首》、豆腐ばっかり食べるから《豆腐小僧》など、でたらめな属性を決めつけ、だが氏名や住所は実在のものだから始末が悪い。

「まったく、ろくでもないですよね、あの偽リスト。適当で、いい加減で、無意味な遊びです。若い子が悪戯《いたずら》半分に作っているものが多いようで、何件か取り締まって厳重注意をしたようですが、いまだに新しい偽リストが出てくるんですよ」

適当で、いい加減で、無意味な遊び……脇坂はそう言ったが、違う。

——このくだらない偽リストを作った者たちには、共通点があったはずですよ。

伊織はそう話していた。

警察は詳しいことを発表していないが、彼らは全員『ヒト』であったろう、つまり妖人ではなかったはずだと。

——これはね、芳彦。稚拙な遊びを装った差別行為なんだよ。『おまえみたいなやつ、妖人に違いない』という意識が、虫の好かない知人を勝手にリストに入れているんだ。妖人の存在自体を蔑《さげす》んでいるから、こんなリストを作る。

「脇坂さん」

「はい」

「偽の妖人リストに、自分の名前を入れた者はいましたか？」

「んー、僕の知る限りいませんね」

そうだろう。自分を被差別側に入れる者などいない。

「僕だったら、こっそり入れちゃってたかも。……属性どうしよう……なにがかっこいいかな……あっ、すみません！　べ、べつに妖人を軽んじているわけではなく！　今の発言、先生にはご内密に……！」

「言いませんよ」

笑いながら、芳彦は答える。

こんなふうに、妖人に無邪気に憧《あこが》れる脇坂はあくまで例外なのだ、身近なのでつい忘れてしまいそうになるが、レアケースと言っていい。ほとんどの人間は、妖人という存在を色眼鏡で見ている。得体のしれない、怪しい存在として。

「犯人が食べたかったのは、ただの少女じゃなくて《人魚》だった……それが報道されてから、大騒ぎになりましたよね。しかも続《あお》けて『目黒区妖人女性誘拐事件』が起きて、マスコミは『また人魚が攫《さら》われた！』って煽るもんだから……」

　ふぅ、と脇坂はため息をつく。

「このあいだ観たんですけど、ひどい番組があったなあ。特集が『なぜ人魚の肉は不老不死となり得るのか!?』って……まあ、結論としては『ただの伝説』に落ち着くんですけど、もうタイトルが煽ってるし、結論に行きつくまでもいいかげんな噂と、これまたいいかげんな検証の連続で」

「ああ、それ、うちの先生もたまたま観てました。額に血管が浮き出して、マメがビクビクしてましたっけ」

「困ったものです。ふたつの事件に関連性はないし、だいたい、最初の事件の被害者は《人魚》ですらないのに。偽の妖人台帳だったんだから。……今度の水希さんだって、本当に《人魚》なのかはわからないし……」

　交差点の黄色信号を確認し、脇坂はブレーキをかける。素晴らしいタイミングなので、ノッキングがほとんどない。

「でも、いるにはいるんですね。《人魚》って」

　サイドブレーキを上げて、ピンクネクタイの脇坂が言う。

　ボロボロで現れた元日、伊織に《人魚》は実在すると聞いて、ずいぶん驚いていた。

ちなみになぜあんなにボロボロだったかと言えば、初詣《はつもうで》客でごった返す神社で、朝までずっと聞き込みをしていたからだそうだ。その前日も他部署の応援でほぼ徹夜だったらしく、二日続けて徹夜となれば、若い脇坂もさすがに堪《こた》えたらしい。

「いるようですね」

「夷さんは、会ったことないんですか？」

「ないです。集会にも来たことはないし……かなり少ないんでしょう、《人魚》は」

そもそも妖人の数が少なく、その中でも属性が明確な者――つまり、際だった特徴を持つ者はさらに少ないのだ。

「先生が言うには、妖人台帳に記載されている属性の半分は間違いだろうと。意図的に間違えたというより、勘違いや思い込みでしょうね」

「属性の判別って難しいんですね」

「際だった特徴がないと、わかりようがないですから。属性のはっきりしている妖人はごく一部なんですよ。たまたまうちには三人集まってますが」

「マメくんが《小豆《あずき》とぎ》で、夷さんが《管狐》ですもんね。……あの、先生の属性というのは……」

いくらか遠慮がちに聞かれて、芳彦は気がついた。

どうやら、伊織はまだ自分の属性を……この「属性」という表現が芳彦はあまり好きになれない……つまり自分が何者なのかを、脇坂に明かしていないようだ。

「それはいつか先生がご自分で話されると思いますよ」

「あ、すみません。他人が教えるのはマナー違反なんでしたっけ」

「そういう決まりはないけど……まあ、デリケートなケースもありますから」

そんな話をしているうちに信号がグリーンになって、セダンが発進した。

「わかりました。気をつけます。……今野水希さんが本当に《人魚》かどうかは、先生に会ってもらわないとわからないんだよなあ……。お父さんに会ってもらおうかとも思ったんですが、お父さんは妖人《ようじん》じゃなかったんですよ。もしお父さんが《人魚》だったら、可能性高かったのに。ウロさんの話では、水希さんのお母さんの実家が代々《人魚》の血筋だとか……。けど、それっておかしいですよね。妖人DNA発見より前から、《人魚》だなんて」

喉元《のどもと》が苦しくて、ノットを弄《いじ》りながら「おかしくもないです」と芳彦は答える。

「ほら、照子《てるこ》ちゃんたちのお母さんの実家、丸山《まるやま》家がそうでしたよね。妖人という言葉がない頃から、自分たちに特殊な能力があることに気がついていた。あの家の場合は《件《くだん》》の予知能力でしたけど」

「あ、そうか。それと同じように《人魚》も…………あれ、でも、《人魚》に特別な力ってあるんですかね？　食べても不老不死にはならないらしいし……」

「どうかな。私は《人魚》についてはなにも知らなくて。そのへんは先生に聞いたんでしょう？　私がお雑煮を作っている間に」

「お雑煮！」

急に大きい声を出されて、芳彦はちょっとびっくりしてしまった。そっちか。そっちの話に食いつくのか……さすがはグルメ刑事《デカ》である。グルメ刑事というのは、芳彦とマメの間でできた脇坂のあだ名だ。スイーツ刑事、というのもある。

「あれは素晴らしく美味《おい》しかったです。五臓六腑《ごぞうろっぷ》に染み渡るって、ああいうのを言うんだろうなあ……ああ……翌日の博多風も食べたかった……」

「一月中は結構作りますから、また食べに来ればいいですよ」

「嬉《うれ》しくて涙が滲《にじ》みそうです……先生に蹴《け》られても伺います……。あ、で、《人魚》なんですけどね。あんまり教えてもらえなくて」

——だから、いますよ。《人魚》。

不機嫌声で、伊織は語ったそうだ。

——特別な力？　べつにありませんよ。まあ、もともと海の近くに住んだ人たちだから、泳ぎはうまいでしょうが、後天的に得た才能でしょうね。……他に特徴？　そんなこと聞いてどうするんです。きみはなんでも気軽に聞くけれどね、あたしゃきみの妖人検索エンジンじゃないんだ。そう便利に使われるつもりはありません。

「と、こういう感じでして。虫の居所が悪かったんですかねえ」

なるほど、少し不自然だ。伊織は警察に使われることを厭《いと》うが、反面、妖人が関わる事件であれば不機嫌顔のままでも協力する。なのに今回はいささか歯切れが悪い。

「そろそろ近いです。あそこのコインパーキングに駐《と》めますね」

さて、いよいよだ。

当然ながら、芳彦は婚活などしたこともなければ、婚活パーティに参加した経験もない。合コンだってない。そもそも、不特定多数の人間が集まる場所は好きではない。若い女性が嫌いだとは言わないが、若ければ誰でもいいわけではないし、場の空気を読んでお愛想を言うのも疲れる。家令は主《あるじ》に似るものらしく、芳彦もいくらか偏屈なところがあるのだ。まあ、伊織の十分の一にも及ばないとは思うが。

百歩譲って、捜査協力はいいとして——なぜ婚活パーティなのか。

実は、今野水希がしばしば婚活パーティに行っていた事実が判明したのだ。とくにここ半年は、月に一度から二度は参加していたらしい。

「水希さんは結婚願望が強かったんでしょう。でも恥ずかしかったのか、職場の人や父親には内緒にしてたようです。入会していたのは『ドリームパートナー』という婚活クラブです。入会金がある程度必要ですし、身分証も確認されます。会員だけがアクセスできるサイトに自分のプロフィールを載せ、出会いを探すという方式ですね。ここの会はお見合いパーティもよく開催していて、積極的な参加を促しています」

車を駐めたあと、目的のビルに向かって歩きながら脇坂が説明した。

「この情報をくれたのは水希さんのお兄さんなんですよ」

「お兄さん？」

「ええ。事件発生当時は連絡がつかなかったんですが、今朝電話をもらって。ここで待ち合わせしているんですが……あ、あの人かな」

ビルのエントランス内に立っていた男性に、脇坂が「今野さんですか？」と声を掛ける。黒いコートを着て眼鏡をかけた男が頷《うなず》き、こちらに身体を向けて会釈をした。

「僕がお電話でお話しした、脇坂です」

周囲に気づかれないように、脇坂はコートの内側で身分証を見せた。今野と呼ばれた男はじっと確認してから「はい」とまた頷く。それから芳彦を見て、改めて丁寧に頭を下げた。

「今野君生《きみお》です。よろしくお願いします」

掠《かす》れ気味の声は少し聞き取りにくい。グレーのウール手袋を嵌《は》めた両手をやたらと擦《こす》り合わせている。寒がりなのだろうか。年齢的には三十代後半に見えた。二十三歳である水希の兄にしては、やや老けた印象だ。

「こちらは今日、お手伝いくださる夷さんです。警察官ではありませんが、信頼できる方なのでご安心ください」

「はい。迅速に対応していただき、感謝してます……」

力のない声に、妹への心配が滲み出ていた。

「今回の件は、驚かれたことと思います。僕らも全力で解決に努めますので。君生さんは、事件について、昨日初めて知ったんですよね？」

ええ、と君生は青い顔で頷く。

「僕はふだん大阪に住んでますが、民俗学を研究しているのでフィールドワークも多いんです……。今回は、過疎の島に行っていて……携帯の電波もろくに届かない地域でしたから、父からの連絡にも気がつけず……」

事件が起きたのが、大晦日深夜《おおみそか》。そして今日はすでに一月の六日である。実家に戻り、妹が誘拐されたと知り、どれほど驚愕《きょうがく》したことだろう。

「君生さん、改めて確認させてください。妹の水希さんと連絡を取ったのは、連れ去られる数日前。電話をした時に、今日の婚活パーティの話が出た……そうですよね？」

コクリと君生は頷き、前髪が眼鏡のレンズにかかった。

「日付で言うと、十二月の二十九日でした。その日は移動の直前で、携帯も問題なくつながったんです」

「その時に、水希さんからストーカー紛いの男について聞いた？」

「はい。水希の話によると、以前の婚活パーティの時、水希をやたらと気に入ってた男がいたと……。ただ、水希のほうはいまひとつ乗り気ではなく、でも一度だけ食事はしたとか」

「交際には至らなかったんですね？」

「はい。次の約束はもうしなかったと。なのに、どうやって調べたのか電話がかかってきたり、何度もメールが届いたり……」

水希は可愛らしい外見に反して、はっきりものを言う女性だったらしい。

『迷惑だからやめてください。これ以上私に関わるなら、クラブ事務所に通告して、あなたを退会処分にしてもらいます』とつっぱねたそうだ。

「男の名前は、カトウとか言ってました」

君生が不安げに話した。

「そういうヤツには気をつけたほうがいい。警察に届けを出しておいたほうがいいんじゃないかと言ったんですが……妹は大袈裟《おおげさ》だと笑って……。一月の初めにもパーティがあるから、また素敵な人を探してくると張り切ってました……」

「君生さんは、事件にその男が関係しているのではないかと懸念されているんです」

脇坂が、芳彦を見て説明する。

「つまりふられた逆恨みというやつですね。調べてみたところ、男の名前は甲藤明四士《かっとうあきよし》。カトウではなく、カットウでした。都内に住んでますが、出身は高知県ですね。今日のパーティ参加者名簿にも名前があります」

「つまり、これから私たちが出るパーティに、その甲藤も来ると？」

「おそらく」

「脇坂くん、そういう大事なことは早く言ってくださいよ。そこまで具体的な内偵なら、やはりご同業の方がよかったんじゃないですか？　言っときますけど、私は捕物みたいな真似できませんよ？」

「いえ、ここでそんなことはしません。というか、できません。逮捕状取ってないし。接触して、情報を引き出したら泳がせます。……あと、まあ、なにしろ急なことだったので、捜査本部には事後報告する予定です。パーティは待ってくれませんから」

「それ、怒られないの？」

「怒られますね。たぶん、ウロさんが」

「俺がどうかしたかい」

「わっ」

ぬう、と現れた鱗田に、脇坂が小さく跳ねて驚く。よく女子高生がこんな大袈裟な動きをするよな……と芳彦は内心で思った。

「急に出てこないでくださいよう。えっと、こちらが水希さんのお兄さんです」

鱗田と君生はお互い会釈しあい、鱗田は年季の入ったさりげなさで身分証を見せた。

それから芳彦にも頭を下げ「ご協力感謝します」と言う。

「ウロさん。いいんですか、僕はシロウトですよ？」

「いやいや。正直脇坂だけではアレですが、夷さんがいてくださると心強いです。先生も『うちの家令は鼻が利きますから』と仰《おっしゃ》ってました」

それは面白がってるだけだ……と思った芳彦だが、君生の手前そうも言えない。

「脇坂。俺はいまさっき本部から呼び出しがかかったんで、一度戻らなきゃならん。すんだら報告を入れてくれ」

「了解です！　さて、会場に行きましょう。あらかじめ申し上げているとおり、僕たちは一般の参加者ということで潜入します」

「君生さんも？」

芳彦が聞くと、君生はゆっくり首を横に振った。

「僕は足手まといになってはいけないので……ご連絡をお待ちしています」

疲れた声でそう言う。家族が誘拐されたのだから、元気溌剌《はつらつ》なはずもない。憔悴《しょうすい》していて当然だ。脇坂に聞いてみたところ、君生と水希は十歳離れた兄妹《きょうだい》だという。ならば君生は三十三歳ということになる。

芳彦と脇坂はパーティ会場に移動した。

開始時間まで、まだ十分ほどある。ワインとソフトドリンクは飲み放題らしい。ふたりともウーロン茶を手にして、知人同士が雑談をしている素振りをする。三十人ほどの男女が、まずは遠巻きに互いを観察しあっていた。

「……あの」

声をかけてきた女性は、脇坂を見ていた。さすが顔だけはいいスイーツ刑事、パーティ開始前からアプローチがあるのかと思いきや、

「刑事さん、ですよね」

といきなり聞かれ、脇坂はぎくりとした顔を露呈する。ばれるにしては早いものの、平然を装えないあたりは、やはりヒヨッコだ。

そっと話しかけてきた女性は「私、根本加南《ねもとかな》と言います」と少し早口になった。

「一昨日《おととい》、お会いしてます」

「……あ！」

「そうです、水希ちゃんの件で……。あの、こんなところでなにを……？」

脇坂は根本加南と名乗った女性を連れて、さりげなく会場の隅に移動した。目立たない場所まで行くと「じつは、捜査の一環なんです」と説明する。

「水希さんにしつこく言い寄っていた男が、今日のパーティに来るという情報がありまして……」

「あ。それって、甲藤ですか？」

「はい。根本さんもご存じでしたか？」

「私もあとから思い出したんです……。すみません、早く言えばよかったのに……」

「いえ、気にしないで下さい。それより、僕たちが警察だということは……」

「あ、はい。言いません。誰にも」

加南はそう答え、芳彦にも「約束します」と言った。パステルカラーの服のせいか、見た目はふんわりした印象だが、内面はしっかり者らしい。芳彦は警察ではないわけだが、この場で詳しく説明する必要もないだろう。お願いします、とだけ答えておく。

「……ほんと、スキル高いなあ……」

加南が女性たちの並ぶ列に戻ったあと、脇坂がフゥと息をつく。

「え？」

「今の人です。根本加南さん。水希さんの携帯電話の通信記録を調べたところ、最近、頻繁に電話していたのが彼女でした。仕事は看護師さん。こういうパーティで仲良くなった、いわば婚活友達ですね」

なるほど、婚活友達ならばここで出くわすのもそう不思議ではない。だが、

「スキルが高いというのは？」

脇坂にそう聞くと、一歩近づいてきて「彼女、何歳だと思います？」と耳打ちする。

「……パッと見は二十五、六だけど……、実際はもう少し上ですかね。三十とか？」

「残念。三十九歳です」

「……それはすごい」

芳彦はつい、今は離れた場所にいる加南を見てしまった。

「最初に会ったときも驚きました。僕、聞き込みで彼女の勤めてる病院に行ったんですけどね。その時は薄いピンクのユニフォームで、今よりはちょっと落ち着いた感じで、だけどせいぜい二十八、九って感じでした。……まあ、ヒアルロン酸くらいは入れてるのかな……ボトックスって感じはしないけど……」

呟《つぶや》く言葉の意味がわからない。脇坂はさらに声を低くして「彼女、美容外科の看護師さんなんです」と言う。

「つまり、整形してると？」

「プチ整形くらいはね。注射すると肌の張りが出る、みたいな。けどそれだけじゃないですよ。見たでしょう、あの前髪《バング》を作ったゆるふわ巻き。服はパステルカラーのワンピースとパール系のアクセサリー。メイクは厚化粧にはせず、ただし下地作りに手を抜かず、チーク位置は高くして淡いピンク。アイラッシュは目尻《めじり》に少しだけ、ごく自然に入れてる——若く見せる高等テクニックです」

それだけ解説できる脇坂もある意味すごいと思いつつ「でも、実年齢は自己紹介で明らかにするんだから、意味ないのでは？」と芳彦は聞く。

「ま、そうとも言えます。けど、見た目は大事です。だって夷さん、二十歳に見える四十歳と、四十歳に見える二十歳と、どっちとつき合います？」

「……それは……気の合う人のほうと……」

「両方同じくらい気が合うんですよ。どうします？」

詰め寄る脇坂は、いつにない迫力である。

「そりゃたしかに、若く見えればいいってもんでもないです。年を重ねてこその魅力というのもあるでしょう。……けど、やっぱり人は若さを欲するんですよ。だからアンチエイジング化粧品は高くても売れるし、若返りのサプリメントは男性だって飲む」

「きみも飲んでいそうですね」

「はい。最近はオメガ3脂肪酸が気になってるんです」

即答だった。

「クルミなんかにたくさん含まれているオイルで……いや、そんなこと話してる場合じゃないんだった。根本さんと水希さんは、年は離れてたけど、いい友人関係だったみたいです。パーティのあとに『今日はろくな物件がなかった』とかおしゃべりする時間は楽しいでしょうし」

「……楽しいんですか？」

「楽しいですよ、そりゃ」

時々、脇坂の女子脳についていけない芳彦である。

「……加南さんは、脇坂くんを気に入ったみたいでしたね」

「えっ？」

「きみのことばかり見てた。好みのタイプなんじゃない？」

「うわ、ホントですか。いやー、参ったな。仕事で来たんだけどな。いやー」

参ったと言いつつ、嬉《うれ》しそうな脇坂である。外見は王子様タイプなのだから、不思議なことではない。喋《しゃべ》らなければかなりもてるだろうに……口を開くと、いろいろ惜しい感じになる青年だ。

ほどなく、パーティが始まる。

乾杯のあとは自己紹介タイムだ。名前、職業、趣味などを簡単に話す。脇坂は「役所勤めをしています。趣味は食べ歩きです！」と明るく語った。

……まあ、嘘ではない。

芳彦は一応、高学歴の公務員で官僚候補という設定なのだが、あんまり嘘にまみれているのもなんとなくいやで、

「仕事はそんな感じですが、正直家事のほうが好きです。手伝い程度ではなく、自分できちんと仕切りたい。炊事、掃除、家計管理、なんでもできます。仕事を辞めてもいいくらいです」

などと言っておく。

いい年をした男が仕事より家事などと言えば、結婚を考えている女性が寄ってくるはずもなく、パーティのあいだ余計な気を使わなくてもすむという計算もあった。

だが——およそ三十分後、フリータイムに入った途端、芳彦は己の読みの浅さを痛感する羽目になった。

「堂々と、家事をしたいと仰《おつしや》る姿が素敵でした」

「家事は三百六十五日、休みのない仕事です。本当は大変なものですよね」

「あなたのような方を探していたんです。私は会社を経営しており、年収は約一千万あります」

「私はヘアサロン数店のオーナーで、年商三千万です」

「私は年収四百万くらいですけど、もっと仕事を頑張ります。家のことは基本お任せして、でも休日はちゃんとお手伝いします！」

「私は実家が大きな会社を……ちょ、押さないでよ！」

「そっちこそ押さないで。まだ私が話してるの！」

自分の目の前にできた人垣に、芳彦は絶句していた。

主《あるじ》同様、あまり感情が顔に出ないので周囲には伝わらないだろうが『なんだなんだ、この女たちは⁉』と、正直びびってもいた。女性の参加者は十七名と聞いていたが、うち九名がここにいる。なぜ自分がこんなにもてているのか、さっぱりわからない。

「夷さん、得意な料理は？」

「ご、五目寿司……？」

「すごーい！　和食派ですか？」

「いや……洋食も作りますが……ロールキャベツだとか……」

キャア、と歓声が上がる。

「掃除、洗濯、炊事、どれが一番好きですか？」

「しいて言えば炊事ですが……家を快適に保つには、どれもバランスよくこなすことが必要かと……」

今度は全員が感心したようにホーウと深く頷《うなず》く。どうやら女性たちは、ひとりひとり話すのではなく、九対一での質問攻めに戦法を変えたらしい。いや、別に戦っていないのだが、なんだかそんな気分になってくるのだ。お住まいはどのへんですか、スポーツはしますか、好きなタレントは、犬派ですか猫派ですか、トランクスですかブリーフですか、トイレットペーパーはシングルですかダブルですか……。

激しい攻撃に、じりじり後ずさりしながら、芳彦は目で脇坂を捜していた。

援軍要請である。だが、脇坂ときたら、会場の隅でワイングラスを手に根本加南と楽しそうに話し込んでいるではないか。やっと芳彦の視線に気づいたものの、芳彦が必死に（助けて）と口をパクパクさせると、なにをどう勘違いしたのか、親指をグッと立ててウィンクをよこす。（もててますね！）的なニュアンスなのだろう。この瞬間、芳彦はいつも伊織が脇坂に感じているイラッと感を理解し、心の中でウスラバカ！と叫んだ。

「へー。なんか今日は偏った感じになってんのな」

ふいに聞こえてきた声は、芳彦の背後からだった。

今まで自分に釘《くぎ》づけだった女性陣の視線が、声の主へと移動する。そして全員が軽く目を見開く。振り返った芳彦はその理由を理解した。ファッションモデルのようなスタイルをした男が立っていたからだ。

「あんたに人気集中かあ。なあ、こっちにもちょっとわけてよ」

にやりと笑う顔はまだ若く、二十代の半ばというところか。背丈は芳彦よりも高く、一八五くらいだろう。しっかりした体つきだが、マッチョとまではいかない、女性受けしそうな体型である。少し癖のある髪と、黒目がちな瞳《ひとみ》――一見愛嬌《あいきょう》のある顔つきは、視線がきょろきょろと盛んに動く。スーツではなく、ジャケットとデニムというコーディネートは、着崩しかたの匙《さじ》加減が絶妙だ。

「今日はきれいな人が多いのに、あんたばっかりずるいぜ？」

不自然なほどに白い歯を見せてまた笑う。

女性たちはクスクスと笑い、落ち着きをなくしつつあった。遅刻して現れた男が気になっているのは明白だ。伊織のように息を呑《の》むほどの美貌《びぼう》ではないし、青目のように一瞬にして女たちの心を奪う色気もない。だが、なんだか放っておけないような……母性本能を擽《くすぐ》るタイプ、とでも言うのだろうか。

そして……このにおい。芳彦はクンと鼻を鳴らした。《管狐》は嗅覚《きゅうかく》に優れている。無論、においですべてがわかるわけではないが、この男のにおいには覚えがあるのだ。すぐに思い出せないのがもどかしい。

「……たしかに今日は美人で、かつ自立した素晴らしい女性が多い。きみのようなお子様には分不相応だよ」

「なんだと？」

男が眉《まゆ》を寄せ、芳彦を睨《にら》む。怒らせるような発言はわざとだ。怒りを覚えた時、人の体温は上昇する。すると体臭は強くなる。芳彦の狙いはそこにあった。この男が何者なのか知りたいのだ。ネームプレートの名前は……芳彦は名札を確認し、少し驚いた。

甲藤明四士とある。

脇坂が話していた男だ。誘拐された今野水希につきまとっていたという……。

「あんたはふさわしいのかよ、吊り目《つめ》の兄さん。さっき聞いてたんだぜ。要するに女のヒモ希望じゃねえか」

「ヒモとは違う。家の管理をしたいと言ったまでだ」

答えながら、芳彦は脇坂を見た。だが脇坂は、今度はデザート類を山盛りにした皿を持って、まだ加南と歓談している。きみはいったいなにしにきたんだ、と胸の内で叫ぶしかない。

「いい年した男が家事手伝いかよ。情けねえ」

甲藤は鼻で笑い、芳彦は冷笑で返す。

「家事を手伝っているのではなく、家事をすべて取り仕切るんだ。そもそも家事労働を軽んじるような男が、いい伴侶《はんりょ》になれるとは思わないけれどね。そういうのに限って、自分のパンツ一枚まともに洗えやしない」

「はあ？　男にはパンツ洗うより大事なことがあんだろ」

「わからない坊やだな。私は自己管理能力のことを言ってるんだよ。自分のことも自分でできないのに、結婚しようと？　ああ、そうか。自分のことができないから結婚したいのか。パンツを洗ってくれる女が必要なわけだ。妻ではなく、ママがほしいんだね。ならば残念だが、今ここにいる素晴らしい女性たちに適任者はいない。まあきみに年収三千万くらいの稼ぎがあれば、ママに甘んじてくれる女性も、ひょっとしたらいるかもね。そのへんはどうなの？　ちなみに今きみが嵌《は》めているロレックスはフェイクだよ。お気の毒に。いや、わかってて買った？　だとしたら余計な話だったね、失敬」

ひと息に放った。

この手の毒舌なら、しょっちゅうお手本を聞いている芳彦だ。門前の小僧なんとやら、である。イヤミ満載の長台詞《ながぜりふ》をぶつけられ、甲藤は頰を引き攣《つ》らせていた。口をパクパクさせ、なにか言い返したいらしいが言葉が出てこないようだ。ロレックスについては勢いの当てずっぽうだったのだが、たまたま的を射てしまったらしい。体温はますます上がり、においは強くなる。絶対に知っているはずなのに、なかなか思い出せない。

「……この野郎……いい気になりやがって……！」

キャアッ、と女性たちの悲鳴が上がる。

甲藤が芳彦に殴りかかったからだ。だが芳彦は軽やかに避ける。甲藤の動きは素早く、《管狐》として人並み外れた反射神経を持つ芳彦でなければ、まともに殴られていただろう。避けられた甲藤のほうも、信じられないという顔つきを見せた。

「え、夷さん⁉」

やっと気がついた脇坂の声がする。

しかしそちらに構っている余裕はない。すっかり興奮した甲藤が、まるで獣のように襲いかかってきたからだ。どうやら本気で怒らせてしまったらしい。

「おっと」

ぐぅんと背中を仰《の》け反らせ、芳彦は鋭い拳《こぶし》から逃れた。

そのまま軽やかにバック転すると、次にひょいとテーブルの上に乗り、華麗なステップで皿を避けながら広い空間に移動する。

行儀が悪いが仕方ない。狭い空間で、この大男を続けて躱《かわ》すのはなかなか難しいのだ。

「逃げるな！　吊り目野郎！」

猛然と甲藤が追ってきた。女性たちの悲鳴が増え、ドリンクの置かれたテーブルがひっくり返り、派手な音が響く。その間を縫うようにして「夷さんっ、なにしてんですかっ」と脇坂が叫ぶのがわかったが、答えるのは後回しだ。

すとん、と芳彦は床に降りた。

周囲に人のいない空間だ。甲藤が対峙《たいじ》する。唸《うな》るような音が喉奥《のど》から聞こえ、強く体臭が立ちのぼる。ああ、そうだ——ぶんぶんと目の前で空気を裂く拳を避けながら、芳彦はそのにおいを思い出した。

こいつは、あの一族か。道理でにおいに覚えがあるはずである。それにしても躾《しつけ》がなっていない。ということは、主《あるじ》がいないわけだ。仲裁に入ろうとしたスタッフの男性を、易々《やすやす》と片手で突き倒し、甲藤が芳彦に対峙する。

「やるじゃん、吊り目」

「たしかに吊り目だが、そう何度も言われると悪意を感じるね」

「すかしてんじゃねえよ。あんた何者だ」

「きみに用があるのは僕のほうだ！」

果敢というより無謀なのか、脇坂が芳彦の前に立ちはだかった。刑事としての心意気は買うが、このタイミングでは邪魔である。

「脇坂くん、どいて」

「えっ？　わっ……」

後ろから新人刑事の襟首をむんずと摑《つか》んでヒョイと退《ど》かし、芳彦はさらに二歩進む。子供のように持ちあげられた脇坂が呆気《あっけ》にとられ「ひぇ」と裏返った声を出した。

　芳彦は再び甲藤と対峙する。

　甲藤の爛々《らんらん》とした瞳は、まるでこの状況を楽しんでいるかのようだ。単純で、一度頭に血が上ると手がつけられない……それもまた、あの一族の特徴と聞く。だからこそ、彼らは自分を制する圧倒的な『主《あるじ》』を欲するのだ。

　ニタリ、と甲藤が笑った。

　人にしては大きな犬歯が光る。

「そうか。あんた妖人《ようじん》てやつ？」

「そうだ」

「やっぱな。たまにあんだよ、妙に強いと思ったら妖人ってパターン。ヒトでもないくせに、生意気だよなあ。腹立つから、ぐちゃぐちゃにしてやるんだ」

　獰猛《どうもう》なオーラを漂わせ、同時にサッカーの試合前の小学生みたいにわくわくした顔で甲藤が言う。おやおや、自覚はなしかと思いながら、芳彦は軽く右手の中身を握った。いささか目立ちすぎた。そろそろこの事態を収拾せねばなるまい。

「夷さん！」

脇坂が叫んだと同時に、甲藤の姿が消えた。

上だ。

ヒトとしてはあり得ない跳躍力で、芳彦の頭上にいる。

これまた強靭《きょうじん》な筋肉の持ち主だ。

芳彦は感心しながら、隠し持っていたタバスコの小瓶を振る。テーブルの上を移動した時、ピザの横から失敬したものである。

甲藤の大きな靴底が目の前に迫ってきた。

通常の人間にとっては目にも留まらぬ速さだが、芳彦の両眼が本気を出せばコマ送りに見える。細い吊り目だが、動体視力は鍛え上げているのだ。最低限の動きで身体を捻《ひね》って、紙一重で蹴《け》りを避ける。自分のキックが入ることを確信していた甲藤の驚愕《きょうがく》した顔が目の前に来た時、タバスコの瓶を勢いよく振った。蓋《ふた》は外してある。

うぎゃあ、と甲藤が悲鳴を上げる。

泣き叫びながら顔を覆う両手の間から、赤いタバスコが血のように流れ落ちた。

「たしかに、水希とは一度だけデートしたさ。だからって、なんなの？」

不満げに言葉を放る男の目は赤い。

「横暴もいいとこだぜ。いつからこの国じゃ、女とデートしたら逮捕されるようになったんだよ？」

咥《くわ》え煙草で畳の上に脚を投げ出し、男は……甲藤はそう続けた。

一方、脇坂はちんまりと正座して肩を落とし、甲藤の煙草の灰が長くなるのをはらはらと見守っている。この家のあらゆる場所は絶対的な禁煙だというのに……洗足に見つかったらどれだけ叱責されるかわからない。甲藤だけでなく、脇坂まで怒られること請け合いだ。だからこそ「煙草は遠慮してください」と何度も頼んだ。しかし甲藤の辞書に遠慮という文字はなく、立場的に弱い脇坂は、それ以上強く言えなかった。

「国家権力の横暴だ。俺は無実なのに、容疑者に仕立て上げられて逮捕された！」

「いや、逮捕なんかしてません」

慌てる脇坂の言葉など、甲藤は聞く耳を持たない。

「ひどすぎる！　タバスコなんかかけられて！　俺はピザじゃないのに！　目が潰《つぶ》れたらどうするんだ！」

「でも、あの時はきみのほうから暴力を……」

「俺はか弱い一般市民だぞ！　刑事が市民に暴力をふるうなんて！」

「夷さんは刑事ではなく……」

「言っとくけどな、俺を冤罪《えんざい》で捕まえようとしても無駄だ。れっきとしたアリバイがあるんだから！」

威張るように胸を張る甲藤の前で、脇坂は「知ってます」と項垂《うなだ》れた。

そう、あるのだ。甲藤にはアリバイがあり、複数の証言者もいる。

捜査本部に戻った鱗田からその連絡が入ったのは、残念ながら甲藤の目にタバスコシャワーが入った数分後だった。タイミングが悪すぎる。

「アリバイの件については、すでに確認しています。我々はあなたを被疑者扱いするつもりはなく、ただ水希さんに関する話を……」

「《人魚》なんか食ってない！」

その声量に、脇坂は顔をしかめた。脇坂自身も時々、無意識に声を張ってしまい洗足に叱られるわけだが、その気持ちが今頃わかる。無闇な大声というのは、聞いている者を不快にさせるのだ。

「だいたい俺は生魚は苦手だ！　刺身だって食えないんだぞ！　おい、喉が渇いた。こんちは茶も出ないわけ？」

「………ちょっと待ってて下さい」

拳を握りしめ、脇坂はのそりと立ち上がった。

襖《ふすま》を開けて客間を出る間際、甲藤の「あー、茶じゃなくてコーヒーがいいや」という声がした。なんたる図々しさ。

脇坂は襖を閉めた途端、声にならないFワードを吐き、右手の中指を突き立てる。脇坂らしからぬ仕草だが、それくらい腹が立っていたのだ。

「……脇坂さん？」

「あっ」

湯飲みの載った盆を持っているマメを見つけ、脇坂は慌てて中指を引っ込めた。マメはきょとんとした顔で「今のは、なにかのサイン？」と聞く。

「いや、その、ええと……忘れて。見なかったことにして」

「どうしてです？」

「とても下品な仕草だからです……マメくんがマネなんかしたら、僕は先生に首まで生き埋めにされた挙げ句、頭の上に残飯を撒《ま》かれてカラスをけしかけられます。カラスならまだいい……生肉置かれてライオンを連れてこられるかもしれない……。あ、お茶ありがとうね。でも、あいつコーヒーがいいとか言いやがって……ほんとゴメン。あとは僕がやるから」

深くため息をついた脇坂を見て、マメが「大変ですね」と同情してくれた。

「もう、さっきから延々と被害者アピールだよ……」

それは移動の車の中から始まっていた。

「たしかに、僕はあいつを疑ってたけど……。あんなアリバイがあったなんて……」

台所に向かって歩きながらぼやく。

水希が誘拐された昨年の大晦日《おおみそか》、甲藤明四士は午後七時から午前四時まで、オールナイトのカウントダウンパーティに出ていた。さらにそのあと、パーティで知り合った女の子のマンションに行っていたのだ。女の子の証言も取れており、要するに完璧《かんぺき》なアリバイなのだ。

「事前にわかってたら、僕らだって出方を変えたんだ……」

ここまで明白なアリバイがあるのならば、甲藤に逃げ隠れする理由はない。婚活パーティに潜入して様子を探るなどというまだるっこしいことをせず、ふつうに事情聴取すればよかったのだ。とはいえ、複数犯の犯行であり、甲藤は仲間のひとりという線もまだ残ってはいるが……可能性はかなり低い。

「いずれにしても、夷さんとケンカになっちゃったのはまずかったなあ」

台所でヤカンを火にかけながら脇坂はぼやく。洗足家ではレトロなアルミヤカンが現役で活躍中だ。

「でも、最初にけしかけてきたのは向こうなんですよね？」

「うーん、夷さんと女の子たちに割り込んできたのはあいつだけど、けしかけたのは夷さんのような……。あのさ、ここだけの話だけど……」

「はい」

脇坂は少し屈《かが》んで、マメに耳打ちする。

「夷さんて、結構毒舌なんだね」

「あー。先生のおそばにいますからねえ」

「それと、すんごいケンカ強いね？」

「はい。《管狐》ですから、本気出したらかなりです」

「しかも、わりとえげつないんだよね……だってタバスコだよ？　へたしたら失明しちゃうよ。それなのにあとで『たまたま持ってただけですよ』って涼しい顔で……。車の中でも一切謝らないもんだから、甲藤の矛先が全部僕に向いちゃってさ」

「芳彦さん、蟹座《かにざ》ですから。身内に篤《あつ》く、敵に厳しいです」

「なるほど、蟹座か〜」

ウンウンとふたりで頷《うなず》き合った。そこに聞こえてきた「コーヒーまだかよ！」という怒鳴り声に、脇坂は口を尖《とが》らせる。

「ちぇっ、偉そうな奴。あいつが煙草の灰を畳に落としたりしてたらどうしよう……。それにしてもわからないよ。夷さん、なんだって奴をここに連れてきたんだろう？」

「芳彦さんが連れてきたなら、先生に引き合わせるためだと思いますけど」

コーヒーカップを温めながらマメが教えてくれる。そういえば、車の中でそんなようなことを言っていた。この野良犬には、先生のお説教が必要です、とかなんとか。ところが、妖琦庵に戻ると、洗足はちょうど留守にしていたのだ。碁会所だというので、夷が呼びに行っている。

コーヒーのドリップを待っていると、ポケットで携帯電話が振動した。

短い振動は、メールの着信だ。誰かと思って見ると、根本加南からだった。水希についてなにか思い出したら教えて欲しいと、メールアドレスを渡しておいたのである。

——大変なご様子でしたが、お怪我はありませんか？

「なんだ……」

事件に関する情報かと思ったので、少し肩すかしを食らった気分にはなったが、心配してくれる優しさはありがたい。メールはできる限り即レスする主義の脇坂は、目にも留まらぬ速さで返礼を入力した。お気遣いありがとうございます、無事ですのでご心配なく……という簡単なものだ。マメは砂糖とミルクを用意してくれている。

「おいーまだかよーおせえよー」

また聞こえて来た声に「いま持っていきますから！」と叫び返す。どちらかと言えば温厚なはずの脇坂だが、胃がふつふつと沸き立つように腹立たしい。むろんそれは、甲藤の態度に原因があるわけだが、場所も関係しているのだろう。

ここは洗足家なのだ。脇坂にとって大切な、大袈裟《おおげさ》に言えば聖地のような場所である。出入りできるようになるまでは苦労したし、今だって訪れるたびに洗足の毒舌シャワーを浴びなければならないし、なるべく行儀良く過ごすように心がけてもいる。そんな空間で……あの、頭も女癖も悪そうな甲藤がでかい態度を取っている。それがどうにも許せない。なんなんだ、あの馬鹿は。さっさと追い出したい。洗足家にいていい馬鹿はひとりだけ、つまり自分だけだ。

「……あれ？」

いつのまにか自分の馬鹿を肯定しまくっている思考になっていた。首を傾げつつ、脇坂はコーヒーを盆に載せる。マメがそこに陶器のミルクピッチャーと、スティックシュガーを置いてくれる。脇坂は「ありがとう」と礼を言い、廊下に出て歩き出した。

その途端、

「コーヒー、コーヒー、コーヒー！　ったく、グズな刑事だな、おい」

まるで歌うような罵倒《ばとう》が聞こえてきた。

「グズの上に無能だもんなあ。人を無実の罪で捕まえやがって。なにが人魚事件の話を聞きたいだよ。しらねーっつーの。あんだけ無能でよく刑事になんかなれたもんだよなあ？　刑事って試験ねーわけ？」

「…………」

盆を持って廊下に立ったまま、脇坂は絶句していた。

「テキトーに犯人決めて、テキトーに逮捕してんのかよ。税金泥棒もいいとこじゃん。つかコーヒーまだ？　あとさー、なんでここんち灰皿ねーんだよ？　畳で消しちゃっていいってこと？　そーゆーこと？」

脇坂が言葉を失ったのは、甲藤があまりに酷いことを言っているから……ではない。

客間にほど近い玄関内に、ぬっと立っているその人を見つけたからである。

漆黒のインバネスコート。

背後には夷が立っていて、主《あるじ》からコートを脱がす。中は黒に近い灰色の着物で、帯は暗い赤だ。

つかのま、脇坂は洗足の立ち姿にみとれた。気持ちのいいほど真っ直ぐな背中をしている。この人が立っているだけで、その空間はある種の緊張感に包まれる。冬の夜明けに、いまだ輝く星を見つけたときのような……凛《りん》と美しい緊張感だ。

「あー、やべー、マジで灰が落ちたわー」

だが、その心地よい緊張感をも、甲藤の声が台無しにする。

ピクリ、と洗足の眉《まゆ》が動く。

「なんかここに花瓶あんだけど、これ灰皿にしていいわけー？」

うわあ、と脇坂は固まった。その花瓶とは、床の間にある花器のことではないのか。盆を持ったまま動けないでいると、上がり框《がまち》にのぼった洗足があからさまに（邪魔）という視線を突き刺してきた。そのままじりじりと後ずされば、廊下の壁に背中がつく。

洗足は帯に挟んでいた扇子を手にした。

僅《わず》かに開いてすぐに閉じ、パチリと音を立てる。最初のその音を聞いた時がフィードバックしてきて、脇坂は思い出し笑いならぬ、思い出し緊張をしてしまった。

「芳彦」

洗足が家令を呼んだ。

「はい」

「この扇子、気に入っているんですよ」

「ああ、そうでしたね。すぐに」

夷はスルリと脇坂の横を通り、奥の小部屋に入ったかと思うと、すぐに戻ってきた。家令の手には古ぼけた扇子がひとつあり「これでどうでしょう」と洗足にお伺いをたてている。洗足はチラリと見下ろして「ん」と頷《うなず》き、自分の持っていた扇子と交換する。そして妖琦庵の主は脇坂を無視したまま、いつもと変わらぬ落ち着いた足取りで客間の襖《ふすま》を開けた。

「……なんだよ、あんた」

という甲藤の台詞《せりふ》が聞こえた二秒後である。

バシッと鋭い音が響き、直後に「ぎゃあ！」と情けない叫び声がして、脇坂は自分の胸がスーッとしていくのを感じた。

ああ、気分がいい……フリスクを十粒くらい飲み込んだような爽快感《そうかいかん》である。

「いいいいいい、痛い！　痛いじゃねえか！　なにすんだてめえ！」

「痛い？　それはよかった。ちゃんと痛覚はあるようだ。ならば躾《しつ》け直すのも可能かもしれませんからね、どんな馬鹿な犬でも」

「なに言っ……ぎゃあ！」

べちんっ、という音と同時にまた悲鳴がする。

ミシミシと畳の軋《きし》む音からして、甲藤は転げまわって逃げているようだった。うわあ、見たい……と、脇坂はそわそわ落ち着きをなくす。

「躾《しつけ》に体罰はよろしくないというのが一般的な説のようですが、私は必ずしもそうではないと思う。もっとも、本物の犬への体罰は反対です。言葉も通じない動物を、人間の意のままにしようなどというのは傲慢《ごうまん》の極みだ。で、きみはどうです？　言葉は通じるのかな、甲藤くん？　日本語、わかります？」

始まった。洗足の立て板に毒舌ショーが始まった。脇坂は我慢できず、夷に向かって「い、いいですか？」と聞いた。家令に見学の許可を求めたのだ。夷は軽く肩を竦《すく》めて「いいんじゃないですか？」と答える。

「ただ、中に入ると邪魔かもしれませんから。私らはこのへんで」

言いながら客間の前に正座し、襖を開ける。まさしく、廊下から『見学』している形だ。脇坂もいそいそとその隣に座った。コーヒーの載った盆は自分の横に置いておく。

「こ、この野郎っ……」

甲藤は尻餅《しりもち》をついた恰好《かっこう》で、床の間近くにへたりこんでいる。その額が赤いのは、扇子で打擲《ちょうちゃく》されたからだろう。脇坂もあんな扇子で後頭部を叩《たた》かれたことはあるが、さすがにオデコはない。

「ああ、日本語を喋《しゃべ》っているようだ。つまり言葉は通じているね」

甲藤を見下ろし、洗足は薄く笑った。

「人間は唯一、かくも高度な言語体系を得た動物です。言葉によって互いを理解しあうことで、複雑な社会を形成し、繁栄することが可能となった」

ズッ、と小さな音がする。なんだろうと横を見ると、夷がコーヒーを飲みつつの見学態勢になっていた。

「そんな人間社会において、言語と並び重要なのが『共感力』です。相手の喜びを、自分の喜びとして感じる力。あるいは、相手の悲しみが、自分の悲しみのように思える能力。これはある種の錯覚ではあるけれど、社会において必要不可欠な錯覚なんですよ。ところが、この共感力が極めて低い者もいる。他者の喜びは自分に関係ないし、他者の痛みもまた関係ない。他者の痛みと、自分の痛みを重ね合わせることができない。稀《まれ》に生まれつきそういった能力を持たない人もいて、それは彼らの責任ではない。が、多くの場合は学んでいないんです。共感力を学ばないまま大人になってしまうと、始末が悪い。そういう輩《やから》には躾が必要だ。『痛み』を思い出してもらわなければ」

パチン、と洗足が扇子を鳴らすと、甲藤がビクリと膝《ひざ》を引き寄せる。

「野良犬」

甲藤を睥睨《へいげい》し、洗足が冷たく放った。

「甲藤くん。きみはたちの悪い野良犬ですよ。その身体能力の高さを利用して、ずいぶんと悪さをしてきたらしいじゃないか」

「て、てめえの知ったことかよ……！」

「そのとおり。きみがどこで誰を殴ろうと、あたしの関与することじゃないし、どうでもいい。……あたしの知らないところでするならね」

ミシッと畳が鳴く。

洗足の色足袋《たび》が一歩進んだのだ。甲藤が臆《おく》するように首を竦める。

「きみは今、あたしの家にいる。つまりあたしの縄張りに」

スイ、と洗足が右手を出す。白く骨張った手から続いている扇子の先は、甲藤の眉間《みけん》に向けられていた。

「きみはあたしの家の畳を汚し、あたしの家の花瓶を灰皿にしようとし、あたしの家令に危害を加えようとした」

甲藤の視線は扇子の先端に縫いつけられ、動かない。まるで呪縛にかけられたかのように、目を見開き固まっている。

「加えて、あそこにいる若い刑事に暴言を吐いた。あれが馬鹿なのはあたしもよく知るところだけれど、主のあたしを差し置いてあれを虐《いじ》めるのはやめていただこう」

……今、自分は庇《かば》われたのだろうか。あるいは馬鹿にされたのだろうか。その両方をいっぺんにされた気もして、脇坂は多少混乱する。

「きみが犬ならわかるだろう？　縄張りを荒らされるというのは、甚だ不愉快なものなんだよ。きみのシモが緩くて、ついマーキングしたくなるという性分だとしても、よそでおやんなさい」

「い……いいかげんに、しろよ！　人のことを犬扱いしやがってっ、くそっ、なんなんだよ……っ！」

腰は引けたままだが、かろうじて言い返した甲藤を見て、洗足が「おや」と左手で顎《あご》を撫《な》でる。

「芳彦。彼に自覚はないのかい」

コーヒーを啜《すす》りながら見学していた夷が「ええ。そうらしいんです」と頷いた。

「なんだ。わかってやってるのかと思っていたよ」

「明らかに能力は発露してましたが、疑問は持たなかったみたいで」

「馬鹿ってのはそんなものです。自分を疑わない」

「生きるのラクそうですねえ」

「……あの、なんの話ですか？」

「馬鹿刑事は、もう少し黙ってなさい」

ピシャリと言われ、脇坂は素直に「ハイ」と諦《あきら》めた。

洗足が再び甲藤に視線を戻す。

ツイッと歩き出すと、甲藤は尻《しり》で後ずさる。そんな甲藤の前に、洗足は上体をほとんど揺らすことなく綺麗《きれい》に座り、武器にもなる扇子を帯に戻した。

「甲藤明四士くん」

まるで教師のような口調に、甲藤は「な、なんだよ」と返す。

口調こそ粗雑だが、明らかに返事だった。甲藤はもはや、洗足の呼びかけを無視できないのだ。

「きみは妖人《ようじん》だ」

「…………は？」

甲藤は阿呆《あほう》ヅラを晒《さら》す。

だが、脇坂ももしかしたらそんな顔をしていたのかもしれない。妖人？　甲藤が？

そういえば、確かに身体能力は常軌を逸していたけれど……。

「《犬神》」

洗足が言った。

「きみは主《あるじ》のいない《犬神》です」

瞠目《どうもく》した甲藤の瞳《ひとみ》に、その刹那《せつな》、新しい光が宿った。

カチッ。

えーと、大丈夫かな？　最近、このレコーダー接触が悪くて困る。そろそろ買い換え時なのかもしれない。

さて、僕はまた竜女島《りゅうじょとう》に入った。二度目のフィールドワークだ。

前回から三か月が過ぎて、季節はもう冬、本日は十二月七日。この島は東京よりだいぶ暖かいけれど、それでも海風は冷たい。

前回は島に住むおばあさんから、人魚伝説について聞いた。人魚のミイラがあるというので、すっかり興奮した僕だったが、洞窟《どうくつ》の奥の祠《ほこら》にあったミイラは偽物だった。大きな魚と、小型のサルのミイラを、巧みに接合させたものだ。江戸時代によく作られていたタイプと同一で、大学で写真を見せたら教授に笑われてしまった。まあ、僕も見た瞬間から「あ、作り物だな」と思ったのでそれほど落胆はしなかった。ただ、案内したおばあさんには申し訳ないので「すごいですね」と感心したふりをしたのに、おばあさんときたら「ケケ。紛《まが》いモノやろな」と笑い出し、僕までつられて笑ってしまった。

いいんだ。僕の目的は人魚のミイラではない。

民俗学的に記録しておきたい人魚伝説そのものと……実のところ、もうひとつ別の目的もあった。

ええと……こっちの道だったかな……。

前回は日帰りで慌ただしかったけれど、今回は二泊三日の行程になっている。と言っても宿泊施設なんかないから、おばあさんの家に泊めてもらう手はずだ。まずは荷物を置かせてもらおう。

海沿いを歩く。

風はあるけれど、波はさほど高くない。

沖合にボコリと突き出た岩が見える。あの岩の周囲は、見えない岩の隆起が多くて小舟しか近づけないと聞いた。そして、岩陰からときどき人魚が顔を出し、漁師を誘惑するのだと。

――にいさん。一緒に貝を捕らあね？　こん下にぎょうさんおるよ？

美しい黒髪の人魚は、そんなふうに誘ってくるそうだ。

誘いに応じた漁師は二度と戻らず、死体が打ち上げられることもない。ちょっと怖い伝説だけれど、似たような伝承はよく聞く。代表的なのはローレライの人魚だろう。ライン川に現れるその人魚はとても美しい歌声を持っており、聞いた者は舵《かじ》を取り損ねて川に沈んでしまうそうだ。他にも、人間に害をもたらす人魚といえばアイルランドのメロウやギリシア神話のセイレーンなど……。

「こん島の人魚伝説は、まだあるわい」

うわっ、びっくりした！

お、おばあさん、いつのまに……。

「そがいに驚きなや。さっきから後ろにおったわ」

そ、そうですか。波音でわからなかったんだなあ。ちょうどこれから伺うところでした。今回はよろしくお願いします。

「あんたもまあ、たいぎぃやな。まだなんぞ調べることがあるいうんか」

あるんですよ、いろいろ。たとえば、今の話ですけど、まだ他に人魚の伝説があるんですか？

「……まあ、伝説ちゅうか……都会から来よったあんたにはわからんやろが、こげん島にはいろんな言い伝えがあってな」

はい。それはどんな？

「昔々、人魚に誘われて、ひとりだけ生きて帰った漁師がおったんよ。で、そん男は人魚を娶《めと》ったと」

おお、異類婚姻譚ですね！

「いるいこんいん……？」

あ、すみません。どうぞ続けてください。ふたりに子供は生まれましたか？

「生まれた。男の子と女の子が年子でな。ふたりを産んでしばらくして、女房の姿は見えんようになったそうや。海に帰ったのか、死んだのか」

子供たちはどうなりました？

「それや。男の子のほうはふつうの子やったけど、女の子は様子のおかしい子やった。いつも海におって、海に話しかけとった。村の者はみんな、頭の弱い子なんやと思うてたわな。けど、その子がお父に『今夜から時化《しけ》る』と言うと、海は必ず時化た。『今夜は烏賊《いか》がぎょうさん来る』言うた時は、ほんまに大漁になった。こん子は人魚の娘やから、海んことがようわかる……村の者らはそう言いだした」

なるほど、女の子にだけ特別な力が授かったわけですね。

「やがてその娘が大きゅうなって、婿を取って子を産んで……ほいたら、また娘には潮を読む力があった」

その家は栄えて、村の有力者になった？

「ほうよほうよ。網元になって、網子を抱えて、家は栄えた。その家に生まれた娘は代々『人魚様』と呼ばれて、村じゅうで大事にされたそうや」

人魚様、ですか。

なるほど、それがもうひとつの人魚伝説……。

「まあ、伝説や。ほんまかどうか、ウチも知らん。ウチが生まれた頃には、もうその家には娘がおらんかったしな。なんでも、三代続けて娘が授からんかったそうや。やっとこさ、久しぶりの娘が生まれた時には、島の漁業はすっかり傾いて、若者はおらんようなって……なんもかも手遅れよ。時代にゃ逆らえんがやき。そうこうしてるうちに、例の製薬会社が来て、網元の持っとる土地を相場より高《たこ》う買うと言いだしよった」

ああ、その土地に薬草が自生していたんですね？

「ほうよ。まあ、結局、たいした商売にはならんかったようやな。製薬会社の人らが使っとった建物も、もう誰もおらんし」

それって、島にある唯一のコンクリートの廃屋ですか？　ところどころ崩れて。なんか危ない感じになってる……。

「それや、それ。台風のたびにやられてあの有様よ。まあ、そんなこんなで、網元の家もとうとう島を捨てた。それが……ええと、いつやったかのう」

あ、それなら三十年前です。

「……ええ？」

三十年前、網元だった波口《なみぐち》家当主は島を去ることを決意しました。もう漁師で食べていくことが難しくなっていたし、親類縁者もほとんど島を出ている。なにより、やっと授かった娘は身体が丈夫ではないのに、島には病院がない。

「あんた……なんで……」

あとは、その製薬会社から入った金も後押しになったんでしょうね。その件は、今回初めて知りましたけど……。そうか、土地が高く売れたのか……。

波口家当主は妻と娘を連れて、まずは大阪に出て、その数年後には東京に移り住みました。人魚の一族は、この竜女島を捨てたんですよ。

「あ、あんた、何者や……？」

あはは。
そんな顔しないで下さいおばあさん。僕はべつに、人の心を読む妖怪《ようかい》じゃないですよ。
種明かしは簡単です。
ええと、僕の名前はもう知ってますよね。ええ、今野君生です。
そして、僕の母の旧姓は波口。
この島を捨てた最後の網元は……僕の祖父なんですよ。

※

エリーザベト・バートリ。

ハンガリー王国の貴族で、一五六〇年に生まれ、一六一四に死んだ実在の人物。別名は血の伯爵夫人。ハンガリー語だと、バートリ・エルジェーベトになるらしい。

若い娘を攫《さら》い、拷問し、その生き血を啜《すす》って若さを保ったとか。

内側に棘《とげ》のある狭い檻《おり》に閉じこめて、それを天井から吊《つる》し、娘が動くたびに流れ出る血を浴びたとか。

いったいどこまで本当なんだろう。ネットで検索してみても、曖昧《あいまい》な記事が多い。どこまでが史実で、どこからが作り事なのかよくわからない。被害者は六百人を超えるとか、裁判の認定は八十人とか、開きがありすぎる。……八十人でも、すごい数だと思うけど。英語が堪能《たんのう》なら、もっと調べられるのになあ。いろいろ知りたい。タイムマシンがあったら、伯爵夫人に会いに行きたいくらい。そしたら聞けるのに。

で？　効用はありましたか？

若い娘の血を摂取すると、本当に若返るんですか？

三

「《犬神》？」

「はい」

いくらか眠そうな顔で脇坂が頷《うなず》く。

午前九時前、都心の喫茶店だ。……いや、こういうのは喫茶店とは言わないのか。カフェ、というやつである。鱗田はひとりの時はまず入らない。なぜか。注文が複雑怪奇に難しいからである。実のところ、今もレジの前でいささか緊張しているのだ。

「なんだかもう、すごく疲れました……。甲藤は自分が《犬神》だとわかった途端、態度をがらりと変えて、先生に……あ、僕アールグレイティーラテのトール。エキストラホットで、ミルクフォーム多め……いや、今日はオールミルク」

そらきた。もうなにを言っているのかわからない。なんだかミルクがやたら入っているらしいことだけわかったが。

「ウロさんは？」

「……コーヒー」

「はい。あと、アメリカーノのトール……ウロさん猫舌ですよね？」

「わりとな」

「じゃ、ライトホットでください」

かしこまりました、とやたら愛想のいい店員が応え、ドリンクを作る担当に、なにやら呪文を投げかけた。いつか東京じゅうがこの手のカフェばかりになったとき、自分はどこで休息を取ればいいのだろうかと、鱗田は憂える。しかし、夏場にこういうところで飲む、フラッペなんたらというかき氷ドリンクは結構好きだ。

できあがったドリンクを受け取り、カウンター席の奥に座る。

「結局、おまえさんのそれはなんなんだい」

「はい？　あ、ミルクティーです」

「ミルクティーはミルクティーじゃだめなのか」

「紅茶も種類がありますからね。魚屋さんで『お魚ください』って言っても、魚屋さん困るでしょう？」

「…………そらそうだな」

この店にいる時だけは、脇坂が頼れる男に見える。鱗田はプラスチックのフタを取ってコーヒーを啜った。温度がちょうどいいと言うと、脇坂が「よかったです」と笑う。ぬるく作れという呪文を唱えてくれたのだろう。こういう細かいところには気のつく男なのだ。

「その《犬神》ってのは、つまり運動神経がいい妖人《ようじん》なのか?」

「みたいです。程度はいろいろあるようですが、《犬神》に見られる特性は、運動神経・反射神経のよさ、筋力の強さ、嗅覚《きゅうかく》の鋭さ……」

「んん？　それは夷さんとかぶってないか?」

「そうなんですよ。《管狐》と《犬神》は近いんですって」

——妖怪でいうところの管狐と犬神は、いわゆる『憑きもの』系、憑依《ひょうい》するあやかしです。個人ではなく、家に憑くというのも同じだね。そもそものネーミングがそこからきているのだから、妖人の《管狐》と《犬神》が似てくるのも当然だ。

洗足はそう説明したと言う。

「なら、どう区別するんだ?」

「地域性になるのかなあ。もともと四国は犬神の伝承が多い土地で、甲藤という姓も高知に多いみたいなんですよ。実際、甲藤の母親は高知県出身でした」

「つまり、東なら《管狐》で西なら《犬神》になるのか？　妖人属性ってのはわりといいかげんなもんなんだな……」

「先生いわく、属性は妖人DNAみたいに科学的根拠で説明できないんだから、曖昧な定義になるのは当然なんですって。そんな曖昧なもの、台帳から消去すべきだって仰《おっしゃ》ってました。僕も同感です。……台帳に《人魚》だなんて記載がなかったら、今回の事件は起きなかったんだろうし」

脇坂の言いたいことは鱗田にも理解できた。

もっと言えば、妖人台帳の存在そのものが、どうかと思う。鱗田個人としては、そんなものなくせばいいと考えているのだが、その台帳を使って刑事という仕事をしている現実もあり、口に出すのは躊躇《ためら》われるのだ。ぬるいコーヒーを啜って、言葉を飲み込むしかない。

「つか、台帳もいらないですよねえ」

鱗田が飲み込んだ台詞《せりふ》を、いともたやすく脇坂が発する。

「国民全員が妖人検査したわけじゃないんだし、そんな中途半端な台帳、意味なくないですか?」

「いや、おまえ……」

「妖人のほとんどはフツーの人と変わらないわけで、そういう人たちを差別……じゃなくて区別なのか……どっちにしろ、分けて考える必要ありますかね?」

「あのな……誰より分けて考えてるのが、Y対って組織だろ……」

「あ、そうか」

上唇にミルクの泡をつけた脇坂が、ぱっちりと目を開いて「忘れてました」と言う。そんな根本的なことを忘れるなんて、ある意味すごい男である。

「それで、甲藤については?」

「はい。甲藤明四士、二十六歳。運送会社の契約社員で、練馬区にひとり暮らし」

小型のタブレットをスルスル弄《いじ》り、脇坂は説明する。

「母子家庭でしたが、母親は八年前に病死しています。成人してからの前科《マエ》はありませんが、十七歳、十八歳で非行歴あり。両方ともケンカ沙汰《ざた》です。いずれも相手をボッコボコにしてるようです」

「やんちゃだったわけだな。で、昨日は先生にピシャリとやられたわけだ」

「そこはもう、さすがの先生ですよ。あの野良犬、最初は反抗的だったんですけど、そのうちすっかりおとなしくなって。自分が《犬神》だとわかって、その特性を先生から聞くうちに、なんかいろいろ納得してましたね」

「納得？」

「《犬神》はもともと群れたい傾向が……つまり、集団でいたがる傾向があるそうなんです。集団の中で、自分の位置づけがはっきりしていると落ち着く。一番いいのは、信頼できる主《あるじ》がいることで、そうすると真価が発揮されるとか。逆に言うと、孤独に弱い……つまり、子供なんですかね？」

自分だってまだ尻《しり》に殻をつけたヒヨコ刑事の脇坂が言う。鱗田は首の後ろにできた吹き出物を気にしながら「人ってのは、だいたいみんな孤独に弱いんだよ」と答えた。毎日とは言わないまでも風呂《ふろ》にはちゃんと入っているのに、ときどきここにプツリとできるのだ。

「おお、ウロさんがポエミーなことを」

「誰がポエミーだ。おまえも刑事を続けてりゃ、それがイヤってほどわかるさ。……で、甲藤はちゃんと情報提供してくれたのか？」

「ええ。僕にではなく、先生にですけど」

脇坂の話はこうである。

甲藤はたしかに今野水希と接触していた。婚活パーティで知り合い、まず、当日の帰りに小一時間お茶をした。その時はふたりではなく、水希の婚活友達である根本加南も一緒だった。根本加南は三十九歳の看護師で、婚活を通じて水希と親しくなり、ふたりで食事やショッピングにも行く仲だったという。

「今回の事件のことすごく心配してました。水希さんのこと、可愛い妹のように思ってたそうで……細かい情報をたくさんくれましたよ。ほら」

脇坂がタブレットで見せたのは、根本加南から届いたメールの文章だ。たしかに、何月何日、水希とどこでなにをしたか、どんな話をしたかが詳しく記されている。

「……おまえ、個人のメアドを教えたのか？」

「はい。エイリアスアドレスですけどね。電話より、協力を得られやすいんですよ」

「エイリアスだかエイリアンだか知らんが、刑事が無闇にメアドを教えるのはどうなんだよ。だいたい、この根本さんからはもう話を聞いてたんだろ？」

「ですね。だから僕の顔を覚えたわけで」

「なんで三日前に話さなかったことを、今頃メールしてるんだ？」

「それは、ウロさん。あれですよ」

　ふっ、と脇坂が薄笑いを浮かべ、眉毛《まゆげ》の流れを指先で整える。

「自分で言うのもなんですが、僕の魅力みたいなものに気がついたからじゃないですか？　パーティでいろいろ話して、すごく盛り上がったし。加南さん、僕のこと頼りがいがあるって言ってたし。……うわあ、恥ずかしいなあ」

「……ほんとにな。恥ずかしい奴だよおまえは」

「あっ、いまバカにしましたね？　けど、彼女が僕を気に入ってくれて、だからこんなに協力してくれるというのは、事実だと思います。昨日から、もう七通もメールきたんですから。お礼の返信が大変なくらいでしたよ」

「そうかい。で、参考になりそうなネタはあったのか」

「んー。なんというか、水希さんについてより、加南さんについて詳しくなってしまいました」

　それではなんの意味もないではないか。

　呆《あき》れながら鱗田はメールを読んでみる。たしかに、最初のうちは水希に関する内容だったが、次第に加南自身の話にスライドしてきている。まあ、話の内容がとっちらかるのは、女性にまま見られる傾向なので驚くほどでもない。

「加南さんによると、水希さんの好きな男性のタイプは、地味だけどまじめで、思いやりのある人だそうです。あんまり面食いじゃなかったみたいですね」

「長く連れ添う相手を探してるんだからな。ツラより性格と財布だろ」

「ウロさんの好みのタイプは？」

「俺は仕事と結婚したんだよ」

お、ちょっとかっこいいことを言っちまったか……と思った鱗田だが、脇坂は渋柿でも食べたかのような顔で「うーわー」と口を曲げる。

「今時、そんな台詞言う人いるんですね」

「悪いか」

「仕事と結婚はできませんよ。仕事は風邪ひいたときに、リンゴをウサギに剝《む》いてくれないじゃないですか」

「嫁だってそんなことしてくれるとは限らないだろうが」

「してくれる可能性は残されています。まあ、してくれなくてもいいや。僕がしてあげられれば、それでいいんです」

鱗田はまじまじと脇坂の顔を見た。

「おまえがリンゴをウサギに剝くのか？」

「はい。できますよ。姉によくやらされてたんで」

「ふぅん」

まあ、想像できる。脇坂ならやるのだろう。そしてそうされた脇坂の妻は、脇坂が寝込めば、やっぱりリンゴをウサギにして出すのだろう。

結婚だとか夫婦だとか、あるいは家族というのは、要するにそういうものなのかもしれない。鱗田はおそらく、一生ウサギのリンゴは食べられまい。そう考えると、なんだか妙にさみしい気分になった。結婚したいなんて、今まで思ったこともなかったのに。本当に、人は孤独に弱い。

「……甲藤の話の続きは？」

それ以上考えるのがいやになって、鱗田は仕事の話を引き戻す。脇坂は「あっ、そうでした」とスツールの上で尻の位置を変え、声をやや低くする。

「甲藤と水希さんがふたりで会ったのは一度きり。水希さんが連れ去られる三週間前の夜です。忘年会をしようと甲藤から誘い、水希さんが応じた。水希さんは、加南さんも誘うと聞いていて、三人で会うつもりでした。でも、当日加南さんは来なかった」

「ドタキャンか？　いや、ドタキャンするように、甲藤に頼まれたとか？」

「さすがウロさん。正解です」

加南はその夜、ぎりぎりになって連絡をした。風邪をひいてしまったから、今夜はふたりで楽しんで、と。

「甲藤はただ加南さんにドタキャンを頼んだわけじゃありません。ひとりずつと会って、深い話をしたい。だから、今回は水希さんだけど、クリスマスには加南さんとふたりで会おう。そのためにも、協力してほしい。そう言ったそうです」

「で、クリスマスに加南さんとデートしたのか？」

「ドタキャンどころか、連絡もないままのすっぽかしだったそうですよ」

「おいおい、やな男だな……」

「加南さんからはメールで教えてもらったわけですけど……淡々と書いてあったけど、ショックだったと思います。僕、つい励ましのメール返しちゃいましたもん。ほんっとに、やな奴ですよ甲藤」

甲藤自身はあっけらかんと、

——はあ？　なんで四十前のオバサンとクリスマスを過ごさなきゃならねーんだよ。俺はね、自分に正直に生きたいの。どうでもいい相手には嘘もつくし、騙《だま》しもする。けど、自分の好きな人には絶対にしないぜ？

そう言ってのけて、洗足に扇子で叩《たた》かれたそうである。

「僕も武器を持ってたら、叩きたかったです」

「先生の扇子は武器じゃないだろうよ……」

「結局、甲藤は水希さんにあっさり振られたそうですけどね。食事した帰りに、早くも『これ以上会っても、お互いに時間の無駄だと思う』って言われたとか」

「見る目のある子だな。ま、どっちにしろ後から加南さんに話を聞けば……」

「あ、加南さんは自分がすっぽかしを食らった件は話してないと」

「そうなのか？」

脇坂は頷《うなず》き「言いたくなかったんだと思います」と口にする。

「プライドっていうか……女の人にも、そういうのあるだろうし」

「そうか。そうだな」

　三十九歳で婚活中の女性である。心中は複雑なものがあるのだろう。オッサンの鱗田にも、うすぼんやりではあるが、わかる気がした。

「その後、甲藤は何度か水希さんにメールを送っています。全部スルーされていますけど。ざあまみろ。で、一度だけ水希さんの勤めている会社の前で待っていたことがあります。十二月二十日ですね。水希さんは甲藤に気がついて、警備員に甲藤に話しかけてもらい、そのあいだに同僚と別の出口から会社を出たそうです。ざまあみろ。えーと、これは君生さんから聞きました」

「ああ、水希さんの兄さんな。ナントカ学の研究をしてる」

「民俗学ですね。フィールドワークであちこち旅するそうで、水希さんの事件のときも、すぐに駆けつけられなかったと悔やんでる様子でした」

「甲藤以外に、水希さんに執着していた男はいないのか？」

「加南さんの話では、水希さんは婚活パーティでもてたそうですけど、本人の気に入る男性はなかなかいなかったとか。ああいうパーティって、甲藤みたいに積極的なタイプは少ないらしく、ほかはせいぜいメールが二、三度というところのようです」

　冷めすぎたコーヒーを啜《すす》り、鱗田は頭の中を整理する。甲藤自身のアリバイははっきりしているのだし、これ以上の婚活関係者捜査は無駄なようだ。

「一応、甲藤の周囲の人間はチェックしておくか……」

「はい」

「玖島に報告しておかんとな。先生が絡んでるから、またなんだかんだと嫌みを言われるんだろうよ。さて、そろそろ本部に戻……」

言葉の途中で、鱗田の携帯電話が鳴った。フリップを開いて応ずると、件《くだん》の玖島がいきなり『どこにいるんです？』と問いただしてきた。

「近くだよ。なんかあったかい」

『早急に戻ってください。ちょっと厄介な状況で……』

近くで誰かが怒鳴っている声が聞こえた。『妖人』や『人魚』などという言葉が何度か聞こえて来て、鱗田は「すぐ戻る」と答えた。どうやらY対の出番らしい。脇坂にも玖島の声が聞こえたらしく、すでにコートを羽織っている。

ふたりは早足で署に戻った。

脇坂とはコンパスが違うので、鱗田は回転数を上げなければならず、寒いのにいくらか汗を掻《か》く。赤茶のマフラーを外しながら所轄署の階段を上がり、三階に設けられた捜査本部に入った。もともとは会議室となっている部屋だ。

「あんたたちはいったい、なにをしているのかね！」

老いて嗄《しわが》れた声だが、声量はたいしたものだった。

「あの子が攫《さら》われてもう一週間なのに、容疑者すら絞り込めていないとはッ！」

「いえ、ですから、我々も必死に捜査を……」

対応しているのは玖島である。パイプ椅子にどっかり座った老人の前に立ち、やや腰を屈《かが》めて居心地悪そうにぼそぼそと喋《しゃべ》っていた。

「必死にやっているのになんの進展もないなら、尚更《なおさら》問題だ！　まったく、いつから日本の警察はこんな無能になったのだ⁉　こうしているあいだに水希が食われてしまったらどうするのだ！　あんただってこんなところでグズグズしてないで、はやく水希を探しに行ってくれ！」

老人は今野水希の家族らしい。年齢から察するに、祖父というところか。

「あっ、ウロさん！　ちょっ、早くこっちへ！」

玖島に見つかり、鱗田はのそのそと歩み寄る。脇坂も後ろからついてきた。玖島はふたりを老人の前に立たせると「Y対の者です」と、やや早口で紹介する。

「彼らこそ、妖人が関わる事件のスペシャリストですので、お話はこのふたりがお伺いします。では私は別件がありますので！　ええと、きみ、例のアレどうなってる？」

やや戸惑い気味の部下の肩をむんずと摑《つか》み、玖島は部屋から出て行ってしまった。要するに、逃げたのだ。

「Y対というからには、妖人に詳しいのだな？」

老人は鱗田を見据えて言った。さて、どう答えるべきか。ハイと言えるほどの自信はないし、イイエと言うのも責任感が感じられない。

「まあ、そんなところで……」

「はい！　我々はスペシャリストです！」

せっかく曖昧《あいまい》に答えようと思っていたのに、やたら張り切った脇坂が元気よく言ってしまった。世の中には曖昧と中途半端が時に必要だということが、まだこの馬鹿にはわかっていないのだ。内心でため息をついた鱗田だったが、老人は「そうか」と深く頷き、むしろ居住まいを正して、

「わしは波口重伸《しげのぶ》。今野水希の祖父にあたる者だ」

と自己紹介をした。

姓が違う。つまり母方の祖父だろう。鱗田は自分の名を告げ、それから横を示して
「こっちの若いのは、脇坂と言います」と紹介する。

「で、波口さん。本日はどのような……」

「鱗田さん、そんなことは決まっとるだろう」

鼻息を荒くして、波口は答える。

「水希の事件だよ。いったいどうなってるんだね。日本の警察は優秀だと思っていたのに、いまだ水希の居場所もわからないとは……。あれの父親はすっかり憔悴《しょうすい》してしまったから、わしが代わりに聞きに来たんだ。捜査の進捗《しんちょく》状況を教えていただきたい」

「ご心配はもっともです。しかし、これは誘拐事件ですので、焦りがよくない事態を引き起こす場合もあります。現時点で捜査についてお話しできることはなにも……」

「わしは被害者の家族だぞ！　なのに話せないと言うのかね！」

「昨今、情報というのは、どこからどう漏れるかわからんものです。万一ということもありますので」

「ならばわしらは、ただじっと待っているしかないのか！　こ、こうしている間にも、あの子が酷い目に遭ってるかもしれんというのに……！　可哀想な水希は……た、食べられてしまったかもしれないのだぞ！」

　腰を半端に浮かせた波口が叫ぶ。こめかみに隆起した血管を見ると、卒倒しないか心配になるほどだ。脇坂が慌てて「波口さん、落ち着いて下さい」と再び老人を椅子に座らせた。

「深呼吸しましょう、波口さん。今あなたまで倒れたら大変です。僕たちもできる限りのことをしています」

「水希……水希……おお……《人魚》であるばかりに……」

　今度は泣きだした波口に、脇坂は自分のハンカチを差し出した。

「大丈夫、きっと水希さんは見つかります」

「……見つからなかったら……もう殺されていたら、どうするんだ……」

「それは……あの……」

　どうもできない。困惑する脇坂を見ながら、鱗田は心の内で呟《つぶや》いた。死んだ人間を生き返らせることは誰にもできないのだ。

「あの子は《人魚》に生まれたばかりに、《人魚》の一族の血を引いたばかりに……生きながら食べられてしまうかもしれん……！　わしはもう、おかしくなりそうだ！　た、助けてくれ刑事さん！」

　がばりと脇坂に縋《すが》り、波口は叫ぶ。

「に、人魚を食べたら、本当に不老不死になるのか⁉　そんなことはないんだろう⁉」

　脇坂は中腰になって波口の肩を支えつつ「そ、それはないと思います」と答えた。老人の筋張った指が脇坂のスーツに食い込んで、皺《しわ》だらけの手の甲に、うねった血管がボコボコと浮く。

「な、なら、早く犯人に、それを教えてくれ！　水希を食べても不老不死になんかならないと！　妖人《人魚》は、潮を読み、魚を呼ぶ力があるだけで……」

「それも、違います」

　嗄れて震える声に被《かぶ》さった、静かな声。

「《人魚》に、魚を呼ぶ力などない」

　静謐《せいひつ》と言っていいほどなのに……なぜこの人の声は、よく聞こえるのだろう。それが鱗田はいつも不思議なのだ。

「《人魚》の一族。さきほどそう仰《おっしゃ》いましたね、波口さん」

　細い縞《しま》の着物に、芥子色《けしいろ》の角帯。右手にはインバネスコートを持っている。どこまでも黒い瞳《ひとみ》が、じっと波口を見つめていた。

すい、とさらに数歩進む。

「お聞きしますが、あなたがた《人魚》には、他にどんな特徴が？」

「き……きみは……」

「申し遅れました。洗足伊織という者です。警察官ではありませんが……まあ、Y対のコンサルタントのようなことをしています」

「そ、そうです。この洗足先生が、ほんとに、本物の、妖人スペシャリストですっ」

脇坂が必死の面持ちで言う。洗足の纏《まと》うある種独特な雰囲気に気圧《けお》されたのか、波口はやっと脇坂から手を離し、まじまじと洗足を見上げる。

「わ、わしらの一族は……」

そして語り始めた。《人魚》の家について。

「もともとは海の近くで暮らしとった。遠い昔、先祖が人魚と交わり、娘ができたという話が伝わっとる。その子は不思議な力で、時化《しけ》と大漁を予言したそうだ……」

洗足は頷《うなず》き、無言で話の続きを促した。

「波口の家は栄え、網元となった。生まれる女児は《人魚》として、村の守り神として、潮を読み、大漁を祈願したのだ」

「《人魚》が潮を読み違えることは、一度もなかったのですか？」

「それは……時には、あった。だが仕方ないことだ。人魚の血は代を重ねるごとに薄まってしまうし、娘の生まれない代もあった」

「《人魚》の力は、男の子には受け継がれない？」

「そうだ。血は継がれるが、能力は出ない……」

「波口家はもう漁師ではないんですね？」

「……わしの代で故郷を離れた。網元をやめたからこそ、ひとり娘を嫁に出せたんだよ。娘の美也子《みやこ》はもうこの世にいないがな……」

「水希さんのお母さんですね」

「そうだ……」

「つまりあなたがたは、まだこの世の中に妖人という存在が認識される以前から、《人魚》の一族だった？」

「そのとおりだ。……まさか、《人魚》であることで、孫娘がこんな事件に巻き込まれるとは思ってなかったが……」

パチン、と音がする。

「波口さん。あなたがたは《人魚》ではありません」

洗足が扇子を鳴らしながら告げたのだ。小さな破裂音には、場の空気を変える不思議な作用がある。波口はつかのま黙り込んだが、すぐに「なにを言うんだね」と呆《あき》れ口調を聞かせた。

「言っただろう。わしは波口の血を引いた……」

「妖人検査は陽性だったんでしょうが、かといって《人魚》ではない」

また、パチン、だ。

この男は冬でも扇子を持ち歩いている。以前、冬は使わないのでは、と尋ねたところ「お茶の世界では一年中持つものです」という返事だった。さらに「ま、こんなふうにパチパチ鳴らしたら怒られますけど」とつけ足し、珍しく悪戯《いたずら》めいた笑みを見せた。

「洗足さん、と言ったかな。きみになにがわかるというんだね？　我が波口家には先祖代々伝わる文書があり、そこに《人魚》の……」

「おたくに伝わっている人魚物語にケチをつける気はありませんよ。伝承の真偽を問う気もさらさらない。けれど、あなたがたは《人魚》ではない。少なくとも、私の知る《人魚》ではないのは確かだ」

「なんだ、それは。きみの知る《人魚》など、わしらの知ったことではない！　わしらこそ、本物の《人魚》なのだ！」

不機嫌も露《あら》わに波口は吐き捨てる。いまさっき、《人魚》であるがゆえに孫は誘拐されたと嘆いていたのに、まるでそれが誇りであるかのような口ぶりで……いや、実際に誇らしいことなのだろう。妖人という存在は時に差別対象にもなり得るが、特別な力を持つ一族ならば、自分たちの存在を『選ばれし者』と認識することもできるのだ。

そうか、と鱗田は察する。

彼らが《人魚》であることは、すでにひとつのアイデンティティなのだ。それは容易に覆るものではない。しかし……。

「あなた方は、伝承における『人魚の末裔《まつえい》』なんでしょう。それは否定しません。けれど、妖人《ようじん》の《人魚》とは違う。もとはと言えばお役所の作った妖人台帳と、いいかげんきわまりない属性申告とやらのせいで、こんな混乱が起きているんですがね」

「な、ならば、きみの言う《人魚》とはどんなものなんだ！　それを教えてもらおうじゃないか！」

「あ、はい、僕もそれ知りたいです！」

相変わらず空気をまったく読まない脇坂が割って入る。そういえば脇坂は、洗足が《人魚》についてほとんど教えてくれなかった、と愚痴っていた。

「……あまり言いたくなかったんですがね。こういう事態ならば、話しておかなければならないでしょう」

パチン、と洗足は三度扇子を鳴らした。

少し俯《うつむ》いたので前髪がゆらりと落ちる。扇子の先でその黒髪を、邪魔そうに少しずらした。隠れていた傷跡がチラリと見えて、波口が怯《ひる》むのがわかった。

封じられた、左目。

なぜ封じられたのか。誰にされたのか。どんな意味があるのか。鱗田はいまだ知らない。空気読解力の極めて低い脇坂ですら、その件に触れたことはない。

「《人魚》は海のそばを好みます。というか、かつては海のそばでなければ生きられなかった。否が応でも、海と生きて行くことが《人魚》の宿命だったと考えられます」

なぜならば、と洗足は続ける。

「彼らは遺伝的に、ある皮膚疾患を持って生まれる場合が多かったんです。皮膚が極端に乾燥しやすく、放っておけばガサガサに荒れ、角質化したのちに裂けて出血してしまう。死に至ることはないにしろ、激しい掻痒《そうよう》感と痛みを伴い、大きなストレスになります。この症状は身体の末端……とくに肘《ひじ》下と膝《ひざ》下に強く出るようです」

「皮膚疾患……」

声を立てたのは脇坂だった。洗足はさらに語る。

「この症状が塩水で緩和されることを、《人魚》たちは経験で知っていた。だから、日に何度も海に入りました。夏だろうと冬だろうと関係なく。そうしていれば、血まみれになるような痒《かゆ》みは避けられたからです。人工的な塩水でも効果はありましたが、やはり海水が一番効くことも、彼らは知っていた。だから必ず海辺で暮らした」

「それって……薬で治らないものなんですか？」

脇坂の呟《つぶや》きに「ある程度は治るでしょう」と洗足が返す。

「ステロイドはいくらか効くようです。ただ、使い方の難しい薬ですし、根本的な治療にはならない。それでも、薬のなかった頃に比べればずいぶんましなんだろうね。海から離れて生きて行くことも可能かもしれない。もっとも……《人魚》たちはもともと短命なんです。日本人の平均寿命は八十歳を超しているわけですが、《人魚》は六十に届くのは稀《まれ》とされています。四十を過ぎると急速に衰え、五十前後で死ぬ者が多い」

「五十……」

恐らく八十すぎであろうが、いまだ矍鑠《かくしゃく》としている波口が呟く。

「要するに、《人魚》は人よりもずっと虚弱なんです」

人間より弱い妖人――それでか、と鱗田は理解する。

上半身は美女、下半身は魚の美しい人魚。美しい歌声で船乗りを惑わす人魚。潮を読み、大漁を導く力を持った人魚。

そんなものはいない。いないのだ。

洗足が《人魚》について詳しく語らなかったのは、彼らが弱者だからにすぎない。彼らの弱い部分をあえて語ることを、洗足はしたくなかったのだ。

「さて、波口さん」

呆然《ぼうぜん》としている老人に一歩近づき、洗足は聞いた。

「あなたにそういった皮膚疾患はありますか？」

「い、いや……」

「冬でも海に浸かったりしましたか？　親類縁者の多くは、六十より早く亡くなりましたか？」

「そ……それは……」

「違うんですね。ならばあなた方は《人魚》ではない」

「しかし、我々の一族は潮を読んで……」

「潮流や天候をある程度予見することは、海で働く人々ならばできても不思議ではありませんよ。それに、潮を読み違えることもあったと、あなた自身がさっき仰《おっしゃ》っていました。……繰り返しますが、あたしはあなた方が、人魚伝説の末裔の一族であったことを否定しているわけではないんです。ただ、妖人《人魚》というのは、また別の存在だと言っている」

「……な、ならば……孫は……水希は《人魚》でもないのに、攫《さら》われ、危険に瀕《ひん》しているということか……？」

「そうなります」

きっぱりと洗足が言う。それから、細い首を捻《ひね》って鱗田に視線を向け「つまり、もし犯人が、本気で水希さんを食べようとしているのなら……」と言った言葉を途中で「そうか！」と大きく割り込んだのは脇坂だ。

「犯人に、知らせないと！　水希さんは《人魚》じゃないって。そうしたら、犯人は水希さんを捕らえている理由がなくなるんだから！」

洗足は眉《まゆ》を歪《ゆが》ませて、くるりと踵《きびす》を返すと脇坂の前に立ち、「人が喋《しゃべ》ってるのに、割り込まない！」と教育的指導を施した。つまりは、脇坂の頭を扇子でベシッと叩《たた》いたのだ。さして力は入っていない。

「この口から生まれたウスラバカ新人刑事が言うような可能性もあるでしょうが、事はそう単純ではない」

「そうですな。犯人の目的が本当に《人魚》なのかどうかすら、まだはっきりしていないんです。別の理由で攫ったという可能性もあります」

鱗田の補足に、波口が「べ、別の理由？」と不安げな声を出す。

「身代金を要求してくる様子はないので、金目当てとは考えにくい。となると、水希さんや、その家族に恨みを持つ者の仕業と考えるのが一番自然でしょう」

「だが、犯人からのメールでは人魚を食うと……」

「そう書いてあったわけではありません。『tasty?』という件名のメールと写真は、たしかに人魚と、それを食べることを示唆したものでしたが、捜査を攪乱《かくらん》させる目的も考えられる」

鱗田の説明に納得したのだろうか、波口は小さく「恨み……」と呟いて俯いた。

捜査員は水希の人間関係を調べているのだが、会社でもしっかりして明るい水希はみなから信頼されていたようだし、学生時代の友人たちからもこれといった話は出てないようだ。また、水希の父親の周囲も調べているのだが、穏やかな人柄でトラブルの影はない。兄についても同様だ。

ならば、水希はどうして連れ去られたのか。

そしてまだ——生きているのか。

「先生、今日はその話でいらしたんですか？」

脇坂の問いに、洗足は「まあね」と答える。

「あんまり世間が……というか、マスコミが人魚人魚とやかましいから、はっきりさせたほうがいいんじゃないかと思ったんですよ。お祖父《じい》さんを見る限り、被害者の水希さんが《人魚》だという可能性は極めて低い」

波口の手前、洗足は彼が《人魚》ではないことを言葉で説明した。

しかし、本当はその説明すら不要なのだ。洗足があの右目で見れば、それだけで波口が《人魚》ではないとわかるのだから。

「……あたしは伝えましたからね。これを公表するかどうかは警察が決めればいい」

洗足はバサリとインバネスを羽織って言う。ふだんから愛想のいい男ではないが、いつも以上に不機嫌な声に聞こえる。線の細い洗足が歩き出すと、屈強な刑事たちがいくらか怖《お》じけるように道を開ける。

脇坂がもう一度「先生」と声を掛けたが、洗足が振り返ることはなかった。

※

あの小さな島がいやじゃった。あの狭い世界がいやじゃった。

みんな俺を知っとる。俺もみんなを知っとる。揉《も》め事《ごと》は多少あっても、犯罪はまず起きね。万一盗みでも起きよったら、それはよそ者の仕業にされる。真実《ホント》かどうかは問題やない。島ン中に泥棒がおったらいけんのや。全員が疑心暗鬼になるんは、最悪なことやから。

早《はよ》う島を出たかった。ほいやけえ警察官になったいうに……よりによって、地元に配置された。誰も俺を「駐在さん」なんて呼ばん。みんなして「タカ坊」呼ぶんや。中には「孝《タカシ》」と呼び捨てる奴もおったわ。

犯罪のない島。犯罪は起きない島。犯罪がなかったことにされる島。

そこからやっと抜け出して……もう何年やろか。俺はすっかり年を取った。念願の都会にも出たが、ええことはなかった。ほんま、なァんもなかった。この有様や。わかっとる。ばちがあたったんやろ。そんでおまえさんも、俺にばちをあてに来たんやろ。あの女のことで……人魚さんのことで、来たんやろ。

ええわい、ええわい。殺したらええわい。

俺はもう――疲れた。

四

もてそうで、もてない。

それは脇坂洋二がずっと抱えている悩みだった。深刻な問題だ。大袈裟《おおげさ》な、と思う人もいるだろうが、今年で二十七になる健康な男子にとってはいたって大問題だ。

もてなそうでもてないなら、まだいい。いや、よくないか。ぜんぜんよくはないのだが、対策は講じられる。太っているならダイエットすればいいし、金がないなら必死に稼げばいいし、顔に難があるなら、最終手段として美容整形だってあるのだ。

脇坂の場合、スペックは悪くない。

背は高く、手足は長く、太ってもいない。顔だって、自分で言うのはなんだが、わりといいほうだと思う。某有名私立大学を出て、警察官という公務員。性格は明るく、前向き。趣味は食べ歩きで、都内の美味《おい》しい店にはとても詳しい。最近は庁内の男性職員に、やたらとデートプランの相談をもちかけられる。事務職だけでなく、強面《こわもて》の組対刑事までやってくる。そして脇坂は、相手の好みなどを聞いた上で、完璧《かんぺき》なプランを提示するのだ。おかげで高嶺《たかね》の花を射止めた職員からは、涙まじりに感謝された。

そんな脇坂なのに、現在恋人はいない。

現在というか、十七歳からの十年間で、彼女がいた時期は決して長くない。女友達ならばいる。とてもたくさんいる。その中に、ちょっといいなと思える子がいて、交際を申し込んだとしても、たいていゴメンナサイだ。そうやって断られるならまだいいほうで、なぜか爆笑される場合が多い。アハハハハハ、脇坂くんと、私が？　アハハハハハ、ないないないない。それはないでしょー、アハハハハハ。……という具合だ。これは、わりと傷つく。

合コンなどで知り合い、そのままおつきあい、ということは何度かあった。合コンでの検挙率……ではなくて、女の子の連絡先ゲット率は高かったのだ。

だが、続かない。ほとんどの場合、三か月以内に彼女のほうが苦笑まじりに言うのだ。

──洋二くんといるのは楽しいんだけど……なんだか、気の利く女友達と遊んでるみたいで……。

ショックである。ハートがブロークンである。

大好きな彼女が喜んでくれるようにと頑張っている脇坂なのに、それが裏目に出ているらしいのだ。ふられてがっくりきている脇坂を見た姉のひとりが「女はね、ちょっとくらいダメな男に惹《ひ》かれるもんなのよ」としたり顔で言った。そういうものなのだろうか。だとしたら、冴《さ》えないことこの上ない鱗田などずいぶんもてていいはず……いや、それは鱗田に失礼か。

そんなこんなの、もてそうなのに、もてない人生。

それにやっと終止符が打たれる日がきたらしい。

もてている。今の自分はもてている。ひとりの女性にアプローチされているだけなので、いわゆるモテ期みたいなことではないのだが、少なくともそのひとりは脇坂にとっても好意を持ってくれている。

――脇坂さんにお会いして、刑事さんのイメージが変わりました。どこか怖い人たちと思っていたのですが、とても紳士的で、正義感が強くて。

――警察のこと、ちょっと勉強したんです。お恥ずかしいんですが、警視庁と警察庁の違いもよくわかってなかったほどで……。刑事さんになるのって大変なんですね。脇坂さんがどれだけ優秀かわかって、驚くよりも、どこか「やっぱり」と思いました。

――水希ちゃんのこと、本当に心配です。なにもできない自分が悔しくて……。でも、脇坂さんが一生懸命に水希ちゃんを探してくれている、そう思うと少し心が落ち着きます。脇坂さんのこと、よく知っているわけでもないのに、信じて大丈夫だと思えるんです。こんな気持ちは初めてで、自分でも少し戸惑っています。

すべて、加南からのメールである。

「……ふ」

ついうすら笑いを浮かべてしまい、脇坂は慌てて口元を引き締めた。未解決の事件を追っている真っ最中だというのに、刑事がにやけた顔を晒《さら》すべきではない。

まして、これから被害者の身内と会うというのに。

脇坂は顔を上げ、周囲を見回す。

カフェの店内、入り口、いずれにも待ち合わせ相手はいない。水希の兄、君生を待っているのだ。呼び出してきたのは君生のほうで、ふたりだけで話をしたいと言われていた。誰にも知られないように頼まれていたが、鱗田には話している。脇坂が隠したところで、あのベテラン刑事にはすぐにばれるのだ。鱗田は「そうかい」とだけ言い、「なら今日は俺だけで行ってくるよ」と別件の聞き込みに出かけていった。

目立たないようにと、あえて繁華街のカフェで約束をした。

時間を確認したところ、まだ約束まで五分ある。脇坂はスマホをタップして、再びメール画面を呼び出す。

加南は褒め上手だ。

脇坂も、女の子のいいところを見つけたら、すぐに言葉に出して褒めるようにしている。小さなことでいい。今日のネイルきれいだね、そのマフラーいい色、お財布替えた?可愛いね、などなど。褒められるのが嫌いな人はまずいないので、人間関係が円滑になる。ただし、脇坂の褒め上手は姉たちの指導のもとに行われていたため、対男性には機能しない。また、男というのは基本、女に褒められたいのであって、ヘタに男を褒めたりして、ややこしい事態になっても困る。

加南は、脇坂の外見はほとんど褒めていない。

かっこいいですね、という言葉はメールで見たことがない。むしろ彼女は、脇坂の内面に価値を見いだしてくれているのだ。そこが嬉《うれ》しい。とくに、仕事のことを褒められると、脇坂は弱い。

嬉しいのだが、ちょっと頻度が多すぎるかな、とも感じている。

一度『頻繁にメールをくださっても、僕からはあまり返信できないので恐縮です』とそれとなく返してみた。するとすぐに、

──ごめんなさい。ご迷惑でしたよね。なにかにつけ、水希ちゃんのことを思い出して、そのたびに不安な気持ちになり、つい脇坂さんにメールしてしまいました。本当に申しわけありません。

と返ってくる。

脇坂は慌てて『仲のいい友人があんなことになったのだから、不安に思うのは当然です。迷惑ではないので、またなにか思い出したらメールをください』と送り返した。それが一昨日《おととい》のことだったろうか。実際、加南はメールに水希に関することをぽつぽつと書いてくれるので、そこから手掛かりを得られるかもしれない。

昨日も今日も、加南からのメールは続いている。

ただし、末尾には必ず『ご返信はお気遣いなく』とあった。脇坂も日に一度は返信をしている。ちょうど今は君生を待っているだけだし、返信を入れておこうか──と考えているところにも、また加南からメールが届く。

お仕事中ですよね、すみません。私はいま職場で残業中です。自分の仕事が残ったわけではないのですが、人から頼まれたことを断るというのがどうも苦手で……だめですね。もっとはっきりとものを言える人間にならなくては。そういえば、水希ちゃんはそのあたりがきちんとできる子でした。年下なのに、とてもしっかりしていて。私はいつも感心してました。今日思い出したのは、以前ふたりで買い物に行ったときの話です。私はいい年をして、パステルカラーの服や、ガーリーなデザインが好きで、ついついそういうアイテムを見てしまいます。あ、恥ずかしいので、通勤では地味な恰好《かっこう》しかしませんけど（笑）それで、水希ちゃんとデパートに行った時も、たしかピンクのワンピースを見てたんです。若い子向きの服だとはわかっていたんですけど……でも店員さんも、色は可愛いけど形は定番ですから、って勧めてくれて、値段も手ごろだからとりあえず試着だけしてみようかなと思ったんです。

でも。その時、水希ちゃんが私の耳元で、

「加南さん、店員さんに乗せられちゃだめですよ。向こうは買ってもらいたいから、いろいろ言うんです。このピンクは、せいぜい二十五までですよ。形だって定番っていいながら、ウエストとかシェイプさせてて、どう見ても若向きです。加南さんには、もっと落ち着いたムードの、知的で大人なデザインが似合うはずです」

そう言ったんです。

すごく驚きました。ああ、なんてしっかりと人を見ている子なんだろうって。私、休日には思い切りお洒落《しゃれ》して出かけるのが好きで、とくに水希ちゃんとおでかけの時は頑張ってたんです。まあ、言っちゃえば若作りしてたんですよね。だけど水希ちゃんは、そういうの必要ないって言うんです。私はありのままの私でいればいいんだからって。あの時は本当に驚いたなあ。

すみません。事件には関係のない昔話なんかだらだら書いて。

水希ちゃんを思い出してたら……なんかこみ上げてきてしまいました。職場で泣いたりしたら大変。まだ人も残ってるのに。このへんで切り上げます。

脇坂さん。早く、水希ちゃんを見つけてくださいね。

お願いします。本当に、お願いします。KANA

長文のメールを読み終えて、脇坂はため息をつく。

本当に、早く、見つけてあげたい。まだ生きているのなら……いや、きっと生きている。そう信じよう。脇坂のような新米刑事は、そうやって自分に言い聞かせなければ、捜査のモチベーションを保つのは難しい。被害者はすでに亡くなってるなどと想像すると……膝《ひざ》から力が抜けそうになるのだ。こんな弱音、洗足に聞かれたら扇子でぶたれそうだけれど。

メールの返信文を思いつけないでいると、君生が店内に入ってくるのが見えた。

前にも着ていた黒いコートを着ている。手袋を外す暇《いとま》もなく、脇坂を見つけて真っ直ぐに近づいてくる。ひどく張り詰めた動きだった。これはなにかあったなと、脇坂も背中が強《こわ》ばった。

「脇坂さん」

君生は脇坂の向かいに座り、低く掠《かす》れた声を出す。声の緊張に反して、顔つきにはあまり動揺が出ていない。必死に自分を律しようとしているのだろうか。

「最初に約束してください。今から話すことは、他言しないと」

「それは……」

捜査本部に言うな、という意味だろう。新米刑事としては確約しがたい。脇坂の力だけでできることなど、たかがしれているからだ。

「お願いです。ほ、本当は脇坂さんに話すことも……悩んだんです。ほかの警察関係者に知れたら……水希の命はない……」

「どういうことです？」

「犯人からメールがきました」

ドクッ、と心臓が跳ねた。犯人からの連絡は父親ではなく、兄の君生に届いたのだ。落ち着け、と脇坂は自分に言い聞かせる。

「わかりました。他言しないと約束しますから、詳しいことを教えてください」

「……し、信じますよ？」

コクリと脇坂は頷《うなず》いた。まずは状況の把握が必要だ。それがなければ一歩も先に進めない。脇坂がウロウロ迷っている時間などないのだ。

「こ、これです」

焦っているのか、君生は手袋を外しもせずに携帯電話を出し、メールを見せた。

件名は『quiz』。


クイズを解きにおいで。人魚を喰《く》うのは人間。では、人間を喰うのは？　警察に連絡したら、人魚は死んでしまうよ。


添付ファイルがある。写真だ。

……これは、なんだろう？　洞窟《どうくつ》？　全体的に薄暗く、あまり鮮明な写真ではない。中央に古ぼけた家のようなものが見える。こういう屋根の形、切妻というのではなかったか。下には入り口……いや、扉？　スケール感がわからないが、洞窟の中にあるのだから、結構小さいはずだ。だとしたら、家ではなく……。

「祠《ほこら》です」

君生が言った。

「これは……祠なんです。海沿いの洞窟にある……《人魚》を祀《まつ》る祠」

「……いま、なんて？　《人魚》ですって？」

身体の震えを抑えるように、固く拳《こぶし》を握って君生が頷く。

「地元では人魚様と呼ばれている祠です」

「君生さん、あなたはこの場所を知っているんですね？」

「……知ってます」

「どこなんです？」

「故郷、です。僕のではなく……いえ、僕もフィールドワークで行ったことはあるんですが……祖父の故郷です。昔、波口家があった島です」

「島？」

波口家のあった島。祠。人魚様。

考えがまとまらない。なんだろうこの感じは。トランプゲームの神経衰弱をしていて、ずっと裏返されたカードを見つめていたのに、どこになにがあるか探していたのに——突然吹いてきた風に、カードをくるくると返されているような、混乱と戸惑い。

落ち着け、洋二。

脇坂は深く呼吸した。肩に入っていた力を意識的に抜き、冷たくなりかけていた指先を擦り合わせる。落ち着いて、きちんと考えることが必要だ。

もう一度、メールの本文を読む。

人魚を喰うのは人間。では、人間を喰うのは？

このクイズは、なにを意味しているのだろうか。

「君生さん、クイズの答に心当たりはありますか？」

「い、いえ……まったく……」

「人魚を食べるのは人間――ここは、不老不死を求めて人魚を食べるという意味なんだと思います。でも、その続きがわかりませんね。人間を食べる？　この人間というのは、妖人《ようじん》《人魚》のことなのかな……。それとも、もっと広く一般的な人間……」

ふいに、脇坂の脳裏にある男が浮かんだ。

人を喰う。

女子供を、喰らう。

脳裏に現れた男は脇坂を見てニタリと笑った。逞《たくま》しい体軀《たいく》を持った、美貌《びぼう》の男だ。頭もいい。警察を弄《もてあそ》ぶほどに、狡猾《こうかつ》だ。

「……《鬼》」

ごく小さな呟《つぶや》きだったはずだが、君生は聞き取っていた。

「え？　鬼？」

「……人間を……食べるのは《鬼》です」

「あの……脇坂さん？」

心配げな君生の声から察するに、脇坂はよほど強《こわ》ばった面持ちだったのだろう。

脇坂は見たことがある。

あの男が……青目甲斐児が笑うのを。

二人の少女を利用して。殺すのではなく、殺させるように仕向けて。最後の最後で失敗し、逃走する寸前——嗤《わら》った。こっちを見て嗤った。動けずにいる、無力な刑事の脇坂を見て嗤ったのだ。

まさか。

まさか、とは思うが……水希を攫《さら》ったのは青目なのか？　だが動機がない。青目が水希を攫う理由がない。いや、あの男に犯罪の動機を求めるべきではないのか？　奴は《鬼》なのだから、人を喰らう《鬼》なのだから。

「脇坂さん、どうしたんです？」

再び声をかけられ、やっと脇坂は我に返った。すみません、と君生に詫《わ》びて、息を吸った。そこでやっと、自分が息すら詰めていたことを知る。情けない。

「僕は……行こうと思っています」

「まさか……その島へですか？」

はい、と答える君生の目は本気だった。

「だって、呼ばれてます。クイズを解きにおいで……これはつまり、島へ来いという意味なんだと思うんです」

「たしかに……そうとも読めますが」

「妹は……きっと島にいます。あそこは無人島寸前の過疎地なんです。あんな島に隠されていたら、誰にも見つけてもらえるはずがない……！」

「君生さん、落ち着いて。なにかの罠《わな》という可能性もあります。犯人が急にこんなたくさんのヒントを出してくるなんて、おかしいと思いませんか？」

「罠だとしても、行きます」

君生は絞り出すように言った。

眼鏡の奥で充血した目が赤い。君生はあまり感情を顔に出さないほうだが、その目には犯人への憤りが迸《ほとばし》っていた。

「もう、耐えられません……なにもできずにいるなんて耐えられません。脇坂さん。わかりますか？　肉親が犯罪者に捕らわれて、命を失おうとしている。なのに、自分はなにもできない……その気持ちが、わかりますか？」

ぽろりと、ひと粒だけ涙が零《こぼ》れた。

君生は下を向き、すみません、と擦《かす》れ声を出す。手袋をした手で涙を拭《ぬぐ》おうとするので、脇坂がポケットティッシュを差し出す。君生は会釈をして受け取ったが、そのままではペーパーを摘まみにくく、さすがに手袋を外して一枚引き出す。手に痛々しいあかぎれができていた。これを気にして、いつも手袋をしているのだろうか。

「動揺しないようにと……努力してたんですが……」

涙をそっとペーパーに吸わせて、君生が言う。

「いいえ、君生さんは立派です。僕があなたの立場だったら、もっとみっともなくわめき散らしていたと思います」

「僕、このまま島に向かうつもりです。万一のことを考えて、脇坂さんにだけは話しておこうと思って」

「待って。待ってください」

脇坂は慌てて止めた。

犯人が潜んでいるかもしれない島にひとりで行くなんて、あまりに危険すぎる。妹を心配する気持ちはわかるが、このままでは被害者が増えるという最悪のパターンすらあり得るのだ。刑事として、絶対に止めなければならない。

「もう少しだけ、考えましょう。犯人はなにか目的があって、君生さんを島に誘導しているんです」

「僕たちがいくら考えたところで、犯人の目的なんかわかるはずがありません。奴は、頭がおかしいんだ……きっと人魚様の祠で、妹を食べる気でいるんだ……！」

「落ち着いて。冷静に考えましょう」

君生に言っているようで、実のところ自分に言い聞かせている言葉だった。まだ経験の浅い脇坂は、どうすべきなのかわからない。いや、あたりまえに考えれば、すぐに捜査本部に連絡を入れて指示を仰ぐべきだ。だがそれによって、水希は本当に命を落とすかもしれない。本当に食べられてしまうかもしれない。そもそも水希は《人魚》などではなく、だが犯人がそう思い込んでいる可能性は高く——。

いや、だがさっきの謎かけはなんだ？

人魚を喰うのは人間。

では、人間を喰《く》うのは？

「……君生さん」

脇坂は決心した。いま、自分がすべきことを決めたのだ。

「島に行く前に、一カ所だけお連れしたいところがあります。警察ではありませんが、場合によっては警察よりも頼りになる方のところへ、お連れします」

行こう。行かなければ。

妖琦庵へ。


「なのに、どうして脇坂さんだけなんです？」

ポットのお湯を常滑《とこなめ》焼の湯冷ましに入れながら、芳彦は尋ねた。

「それがですね、車で向かってる途中、君生さんの具合が急に悪くなって」

答える脇坂の息が上がっていた。ここに来る場合、脇坂は車をコインパーキングに駐車しているのだが、そこから徒歩五分の距離を駆けだして来たのだろう。

それほど急いで来たというのに、伊織は腕組みのまま、炬燵《こたつ》の上に置いたタブレットを睨《にら》み続けている。画面には囲碁盤が映し出されており、さっきまでコンピュータと対戦していたのだ。

「君生さんは心臓に持病を抱えてるそうなんです。薬をきちんと飲んで、激しい運動をしなければ、日常生活に支障はないらしいんですが……ここのところ水希さんの件がかなりのストレスになっていたのか、発作が起きてしまって」

「今は病院に？」

「はい。僕が送り届けました。もう、びっくりしました。急に真っ青になって、苦しみ出して」

「家族の心労は並大抵じゃないでしょうからね……」

「それで、あの、君生さんに届いたメールな……ごほっ」

まだ呼吸も整わないのに喋《しゃべ》り続けているためか、脇坂が噎《む》せた。今日はシャツの上に山吹色《やまぶきいろ》のカーディガンを着ており、ネクタイはしていない。芳彦がぬるまってきた白湯《さゆ》を出すと、げふげふ言いながら会釈して受け取る。喉《のど》を反らせて飲む姿を見ながら、芳彦はもう一度湯冷ましに熱湯を注ぐ。ちょっといいお茶を手に入れたので、低めの温度で淹《い》れたいのだ。

脇坂が現れたのは、芳彦が夕食の下拵《したごしら》えを終えた夕刻だった。今夜の献立は簡単なものだ。茸《きのこ》のたきこみご飯と大根の味噌汁《みそしる》。寒締めほうれん草の卵とじに揚げ出し豆腐。

食べ盛りのマメがいれば、肉料理がひとつ加わるところだが、昨日から小旅行にでかけている。照子に会いに行ったのだ。久しぶりに伊織とふたりで静かに過ごしていたところに、例によって脇坂がアポなしで飛び込んできたわけである。

「その、メール、ですけど」

やっと喉が落ち着いた脇坂は、脇に置いたコートのポケットから自分のスマホを取り出す。一緒にグレーの手袋が落ちて、脇坂は「あ」とそれを膝《ひざ》の上に置いた。それからスマホを操作して、画像を呼び出す。

「病院に送り届けたとき、君生さんから転送してもらいました。先生、これです。写真を見てください」

だが、伊織はタブレットから目を離さない。

「先生、囲碁もいいですけど、それはどうかあとで」

脇坂の声は真剣だった。一見、そんな脇坂を無視しているようにも見える伊織だが、実のところは違う。

考えているのだ。

今しがた、脇坂がもたらした情報を整理し、考えている。タブレットの画面は相変わらず白黒の棋譜だが、頭の中はすでに切り替わっている。水希の兄のもとへ届いたメール。クイズをしようという、その文章。

人魚を喰うのは人間。では、人間を喰うのは……？

「先生！」

「うるさい。聞こえてます」

ようやく視線を上げて、伊織は答えた。そしてチラリと横目で、メールの添付画像を見て「で？」と聞いた。脇坂は「え？」と返す。

「え、じゃないでしょう。ここはどこなんです」

「あ。ですから、君生さんのお祖父《じい》さんが住んでた島で、人魚の祠《ほこら》が……」

「脳味噌《のうみそ》を車に置き忘れてきたのかい、きみは。あたしが聞いてるのは島の住所ですよ。何県のなんていう島なのか」

「あ、はい！　そうですよね！」

脇坂はコクコクと頷《うなず》き、すっと息を吸って言葉を出そうとして、口を開けたまま固まったかと思うと二秒後には目を見開いて、

「き……聞いてません………」

と自分で愕然《がくぜん》としながら答えた。伊織は冷蔵庫で腐ったもやしを見つけたような顔をして「馬鹿者」とストレートに罵倒《ばとう》した。

「ああああ、なんで僕は……」

脇坂は自分の頭を抱え、ひどく狼狽《ろうばい》しだした。聞いたつもりで聞いてなかった、というパターンらしい。

「使えないにもほどがある。なんできみは、一番肝心なことを聞かないんですか」

「すみませんすみません、今君生さんに電話します……っ」

脇坂はあわあわと君生に電話をかけたが、芳彦の予想どおり、繋《つな》がらない。それはそうだろう。病院にいて、治療や検査を受けているところなのだろうから。

「だ、だめです。出ません……」

「なら調べなさい。愚図」

「あ、では捜査本部に連絡……ああ、だめです、ヘタに動いたら水希さんが危ないんですよ！　その島にＳＩＴが乗り込んだりしたら大変です！」

わたわたする脇坂を、つくづく呆《あき》れたという視線で眺め、伊織は深く重いため息をついた。そして芳彦に「お茶をおくれ」と言い、ちょうどよく入った煎茶《せんちゃ》を啜《すす》る。気に入ったのか、芳彦を見て「うん」と頷いた。

「刑事は馬鹿だが、茶はうまいね。……脇坂くん、そもそも、きみはなんでうちに来たんです？　ここはＹ対の分室じゃないんですよ？」

「す、すみません。でも、あの……」

「君生さんとやらも、まったく人を見る目がない。ウロさんにならともかく、こんな役立たずの新人刑事に頼るなんて……。捜査本部に言えないなら、すぐウロさんに電話しなさいよ愚図。きみが独断で判断できる局面じゃないでしょうに、愚図」

「お、仰《おつしや》る通りです。でも、先生、ひとつだけ――いいでしょうか」

「なに」

空になった湯飲みを芳彦に出しながら、伊織は面倒くささそうに応じた。脇坂は、言葉を探すように、しばし瞬《まばた》きを繰り返したあと、おそらくは妥当な言い回しが見つからなかったのであろう、ずばり、

「青目が関与している可能性はあるでしょうか」

と聞いてきた。伊織は片眉《まゆ》をひょいと上げ「さあね」と返す。さらりとした受け答えは、この質問を予想していたからだろう。

それは芳彦も同じことだった。

青目甲斐児。

奴の存在は、いつだって不気味に洗足家に漂っている。今ここにいるかどうかは問題ではない。実態がなかろうと、気配がある。芳彦の主《あるじ》である伊織に、べったりと張りついて取れないその気配は、不愉快きわまりないものだ。

「メールのクイズが……人間を喰《く》うのは、という……」

「青目が《鬼》だから、水希さんを喰らうために誘拐したと？」

動じることのないまま伊織が言い、脇坂は頷く。

「か、可能性としては、あるかもしれません。水希さんは妙齢の女性ですし、青目に惑わされて連れ去られたとか……ああ、くそう、なんで僕は島の名前を聞かなかったんだ。一番大事なことじゃないか……！」

「落ち着きなさい」

伊織は言ったが、焦る脇坂の耳には届かなかったらしい。

恐らくは無意識になのだろう、さっきの手袋をやたらと固く握りしめ、どんどん深く俯《うつむ》いて自分を追い詰めていく。

「せっかく、せっかく君生さんが僕に知らせてくれたのに。僕を信じてくれたのに。なのになんで僕はこうも馬鹿で迂闊《うかつ》で……。そうだ、今から波口さんのところに」

「脇坂くん」

「すぐに行って聞いてきます。その島に行かないと。君生さんの代わりに、そこに」

「脇坂洋二！」

タンッ、と卓を二本の指で叩《たた》き、伊織がやや大きな声を出す。脇坂はハッと気がついたように顔を上げて伊織を見、「は、はい」と返事をした。

「落ち着きなさいと言っている」

「は……はい」

「きみが迂闊で馬鹿ですっとこどっこいなのは、いまに始まったことじゃないでしょうが。……で、その手袋はなんなんですか」

「あ」

自分がそれを握りしめていたことにやっと気づき、脇坂は慌てて炬燵の上に広げ、丁寧に形を整えた。だが手袋は妙に厚ぼったく、形が定まらない。

「誰のです？　きみのは確か、焦げ茶色の革製だった」

「そうです。これは君生さんのです。病院で君生さんが落として、拾ったはいいけどそのまま僕が持ってきてしまって……ちゃんと返さなくちゃ……あ、これ二重になってたんだ……」

ウール手袋の内側に、薄い綿の手袋が入っていたのだ。そのせいで厚みが増していたわけである。そういえば芳彦が会った時も、君生は手袋をしていた。脇坂は手袋を炬燵《こたつ》の上に置き、やや落ち着きを取り戻した顔で「ウロさんに電話します」と言った。

「そうしなさい」

伊織が答えたその時、

「うわ。あの使えねー刑事がいるじゃん！」

品の良くない大声が、庭のほうから聞こえてくる。

「またかい」

窓に背を向けたまま、伊織がげんなりした声を出す。同じ台詞《せりふ》を言いたい気分で、芳彦は庭を見る。誰なのかはもうわかっていた。

雪が降り出しそうな曇天の下、阿呆《あほう》かと思うほど堂々と立っている男——甲藤がいる。黒い革のライダースジャケットに、ごついブーツを履いていた。

「はい！　また俺です、先生！　そろそろお心が決まったかと思って！」

勝手に掃き出し窓を開けようとした甲藤だが、生憎《あいにく》鍵《かぎ》がかかっている。そして、その鍵を開けてやろうとする者は、この茶の間に誰もいない。

「あたしの心はとっくに決まってます。弟子なんかとらないって言ってるだろう」

甲藤のほうを見ないまま、伊織はけんもほろろに言う。

「いやいや先生、そう仰らず。俺、こう見えて役に立つよ？」

「なんの」

「ケンカ強いです！」

「芳彦に負けたじゃないか」

「それは夷さんが強すぎたんですよ。タバスコはズルだろ、やっぱ」

なにがズルだ。本当はタバスコ瓶で額をカチ割ってもよかったのに、あの程度で勘弁してやったのだ。……という心中が顔に出たのであろう。甲藤は芳彦を見ると「いや、あの時は俺が悪かったし！」と言い添える。

「あれだよ、あんなに強い夷さんと俺とで、先生を守れば万全だろ！　セコムとアルソック、両方ついてる家みたいな！」

「防犯システムがおかしくなるよ、そんなことしたら」

呆れ口調で言いながら、伊織は二重になった手袋に触れた。自分の手を入れて、すぐに外す。伊織にはいくらか小さいようだった。

「助さんと格さんでもいいし」

「あたしは印籠《いんろう》持って諸国を旅したりしません」

「先生、ほんと俺、頑張るから。そこの超使えない刑事より、だいぶましだぜ？」

ポカンと成り行きを見ていた脇坂だが、甲藤の台詞にやっと我に返ったらしい。珍しくムッとした表情を露《あら》わにし、いつになく尖《とが》った声で「先生、あれはなんです」と伊織に聞いた。

「なにって。甲藤くんですよ」

「それはわかりますけど。……夷《すく》さん」

矛先を向けられ、芳彦は肩を竦めて説明する。

「彼は自分が《犬神》だと自覚して以来、先生こそ我が主と思いこんでるんです」

雷に打たれたように、悟ったのだと語っていた。目を潤ませる勢いで。芳彦も《管狐》として、優れた主に惹《ひ》かれる気持ちは理解できるが、だからと言って伊織は困る。ひとりの主に狐と犬の眷属《けんぞく》がつくというのも考えものだ。

「でも先生は私以外の眷属を持つつもりはないと仰って、ならばせめてお茶の弟子入りをさせてくれ、と」

要するに、なんでもいいからそばにいさせろということなのだろう。むろん、伊織がそれを許すはずもない。けんもほろろに断られたが、甲藤は思いのほか忍耐強かった。今日で四日連続顔を見せている。

「先生、だめですよ。絶対にだめですからね、こんな人」

「きみにダメ出しされる筋合いはないよ。そんなことより、早くウロさんに連絡して、指示を仰ぎなさい」

「そうだ、愚図刑事、黙ってろ」

甲藤の言葉に顔をひきつらせた脇坂だったが、今すべきことを優先させたようだ。スマートフォンを手にして、鱗田に電話をかける。その様子をガラス越しに眺めながら、甲藤は一向に帰ろうとせず、黒目がちな目をきょろきょろさせて、

「とっとと事件を解決しろよー。水希が可哀想だろ？　なあ先生、青目って誰？」

などと好き勝手に喋《しゃべ》り、伊織にシッシッと手を振られている。

どうやら、しばらく前から話を立ち聞きしていたようだ。油断のならない男なので、芳彦としてもこの家に出入りされるのは嬉《うれ》しくない。無論、伊織もその旨ははっきり甲藤に告げたのだが——甲藤はいくら強い言葉をぶつけてもワンワンと喜ぶばかりで、凹《へこ》む様子もない。脇坂も相当打たれ強いタイプだが、甲藤に至っては、ぶたれてるのに遊んでもらっていると誤解している、やたら頑丈な犬のようだ。

「水希もなー、《人魚》に生まれたばっかりに、変な奴に攫《さら》われちゃってさあ。その点、俺は《犬神》でよかったよ。素晴らしい主とも巡り会えたし！　……そういや、水希ってじーさんいたよな？　すげえ可愛がられてるって話してた。じーさんも気が気じゃねえだろうなあ」

窓にへばりついて話すので、ガラスが白くけぶる。外は寒いだろうに、甲藤は至って元気だ。体温の高い男なのだろう。

「……甲藤くん」

伊織が窓を見た。甲藤は嬉しそうに「はい！」と返事をする。

「きみは、水希さんからお祖父《じい》さんの話を聞いてたのか」

「へ？　あ、はい。彼女、お祖父ちゃん子だったみたいで」

スイ、と伊織が立ち上がった。掃き出し窓を解錠して開ける。途端に冷たい風が茶の間に吹き込んできて、芳彦の首筋を撫《な》でていく。

「念のために聞きますが、お祖父さんが昔住んでいた故郷を聞いたかい？」

「あー、なんだっけかな……なんか、瀬戸内海の島とか」

脇坂が目を見開いた。鱗田はなかなか電話に出ないようで、まだ繋《つな》がっていない。

「島の名前は？」

伊織が続けて問い、甲藤が「ええと、たしか」と言いかけた時、脇坂が立ち上がった。どたどたと掃き出し窓から庭に下り、苛立《いらだ》ちと焦りの露わな顔をして、靴すら履かずに、甲藤に摑《つか》みかかる。

「早く言え！」

「はあ？　なんだよ、おまえ」

「早く、島の名前を！」

食らいつかんばかりの脇坂を、甲藤が片手でドンと突き放した。背丈はさほど変わらないものの、体格も筋力も甲藤が上である。脇坂は後ろによろめき体勢を崩す。

「お、教えてくれ。水希さんがそこにいる可能性が……」

言葉の途中で脇坂の握りしめているスマートフォンが鳴った。君生か、あるいは鱗田か……そう思ったのだろう、脇坂は迷うことなく電話に出る。

「はい。…………あ」

けれど、すぐに落胆の表情となった。

「はい、あの、すみません。いまちょっと無理なので」

ふだん愛想のいい脇坂にしては珍しいほどの素っ気なさで通話を終えた。甲藤がニヤニヤしながら「女の声が聞こえたぜ」と揶揄《やゆ》する。

「いいご身分じゃねえか。おまえに教えることなんかねえよ。一応刑事なんだろ？　そんくらい自分で調べろ」

「今の電話は加南さんだ。水希さんに関する情報を……」

「はいはい、あの女かよ。若作りしてるけど、かなりオバサンだぜ？　おまえ、あんなのがいいの？」

「そんな話をしている場合じゃないだろう。甲藤くん、島の名前は？」

今度は伊織に問われ、甲藤は首を竦めて「先生までこいつの味方ですか？」と子供のような台詞を吐いた。不服そうに口を歪《ゆが》め、黒目がちの目をきょろりと動かし、なにか考えている。

「あー、そうだ。そうしよう」

楽しい悪戯《いたずら》を思いついた子供の顔になる。

「先生が、俺を弟子にしてくれるなら……いや、眷属、でしたっけ。それにしてくれるなら教えてもいい」

こいつ、なんてことを――。

芳彦が思った刹那《せつな》、ひときわ冷たい風が吹いた。

強い風は庭から茶の間にも吹き込んできて、芳彦の髪を乱す。冷ややかな風の中で、芳彦は主の背中を見た。窓際に立つ伊織にも風は容赦なくぶつかっており、黒髪が後ろに流れていた。前から見れば額が露わなはずだ。甲藤の顔からにやつきが消えたのは、隠している左目の、禍々《まがまが》しい縫い跡を見つけたからだろう。

「芳彦」

伊織が呼んだ。その背中は微動だにしない。

芳彦は立ち上がる。なにを命じられたのかはわかっていた。家令としてではなく、眷属として働く時だ。人の命がかかっているというのに情報を提供しない上、主《あるじ》を舐《な》めてかかった若造には、制裁が必要である。

音も立てず、滑るような動きで庭に降りた。甲藤の襟首を掴むまで、二秒とかからない。脇坂には芳彦がどう動いたか視認できなかっただろう、目を丸くしている。

狐と、犬。

自然界では、犬が強者だ。時に犬は群れて狐を襲うし、狐狩りに犬が活躍することもよく知られている。

だがそれはあくまで獣の話だ。

甲藤の顔を引き寄せ、芳彦は笑った。甲藤はなにか言いかけたが、声にはならず、ゴフッと濁った音が漏れただけだ。芳彦の手刀が、肋骨《ろっこつ》の隙間に鋭く食い込んだからである。骨と骨のあいだというのは、なかなかに痛いポイントだ。手刀を食い込ませたまま、指先に力を入れ、肋骨を一本押し上げるようにする。

「ぐ……え……ッ」

甲藤が声を上げ、逃げようとした。だが芳彦はその背中をしっかりとホールドしたまま「言え」と低く命じる。

「もう一押しで折れるぞ。島の名前は？」

「りゅ……竜女島、だ……！」

顔を歪めて甲藤が白状した。さっさと答えていれば痛い思いをしなくてすんだのに、愚かな犬である。

「先生？」

芳彦は甲藤を放さないまま、主の指示を仰ぐ。もっと痛めつけても構わないなら、いかようにもやり方はあるのだ。

芳彦は暴力がとくに好きではない。けれど、暴力を厭《いと》う気持ちもない。主に命じられれば、躊躇《ためら》わずに実行できる。

伊織はヒラリと白い手のひらを揺らした。

もういい、という意味だ。

芳彦が離れたあとも、甲藤はその場に蹲《うずくま》って痛みに呻《うめ》く。脇坂は身を竦《すく》めたままで、芳彦と目が合うとビクリと震えた。そういえば、脇坂の前で本気を出したのは初めてだ。パーティ会場の騒ぎなど、芳彦にはほんのお遊びにすぎない。

「……竜女島」

呻き続ける甲藤を見下ろしながら、伊織が呟《つぶや》く。

やまない風は、主の髪をいまだ乱していた。

カチッ。


あー、あー、テステス。本日は晴天なり。本当に青天なり。

うん……いいね。さすが新品のレコーダー。

十二月三十日。竜女島への三度目のフィールドワークだ。

小さな島だし、前回でほぼ調べ終わったつもりでいたけれど、新しい情報を入手したので再訪した。年末だから東京の実家に帰る予定だったが……まあ、自分の祖先が暮らした島で新年を迎えるのもいいだろう。今回もまた、あのおばあさんのところに泊めてもらうことになっている。

天候は晴れ。

穏かな冬の海だ。太陽の光を受けて、きらきらと眩《まぶ》しい。

今回の来訪は急に決まった。島の人魚伝承についての、詳しい文献が見つかったというのだ。しかも、僕の祖父が住んでいた家の蔵から。かなり古いもので江戸時代くらいじゃないかと、連絡をくれた人は話していた。本当だとしたら大発見だ。民俗学的に貴重な資料が、僕のご先祖様の家から出るなんて。

でも、おかしいなあ。前回、蔵もだいぶ調べたんだけど……それらしきものはなにもなかった。まあ、すごい量のガラクタがあったから、きっと見落としたんだろう。

連絡をくれたのは、祖父が家と土地を売ったあと、そこを管理している会社の人だ。祖父からはすべて処分してしまっていいと聞いていたそうだが、孫の僕が民俗学を研究していると知り、わざわざ連絡してきてくれた。その人いわく、年が明ければ年度末決算に向けて、いろいろな処分が始まり、あの蔵も壊すことになるかもしれないらしい。僕は思わず電話口で叫んだ。すぐに行きます、と。

そんな経緯で、ずいぶん慌ただしい出発となった。飛行機に乗る寸前、実家に電話を入れた。フィールドワークに出るから正月は帰れない、そう告げると父は残念がっていて、ちょっと申し訳なかった。妹にも叱られるなあ。お兄ちゃんはちっとも帰ってこないって。まったく、口うるさい奴だ。そろそろお嫁さんもらわないとまずいんじゃないの、だとか……自分だって彼氏なんかいないくせに。

おっと、話が逸《そ》れた。蔵に急ごう。管理会社の人と待ち合わせしてるんだ。一緒に文献を確認して、本当に貴重なものなら、その場で僕が預かる手はずだ。どれくらい古い文献なんだろう。保管状態には期待しないほうがいいのかな……ああ、どきどきしてきた。こういう時、自分は研究者だなあと思う。管理会社の人につくづく感謝だ。あの人が気を利かせてくれなければ、文献はゴミとして捨てられただろう。

なんだっけ。なんていう人だった？　ちょっと変わった名前の。青、がつく。

青木じゃなくて、青島じゃなくて……。

うーん、青…………。

※

ひさしぶりや。

ほ、ほんまひさしぶりやのう。

えろう大きゅうなって、最初わからんかったわ。もう背丈もわしと変わらんの。いくつやったかいな？　十七？　ほうか、もうそがいなるんか。わ、わしは二十六ぞ。ああ、ほんま、ひさしぶりや。嬉《うれ》しいのう。ひろちゃんに会えてほんまにわし嬉しい。昔はよう一緒に遊んだのう。懐かしいのう。ひろちゃんはよそもんで友達がおらんで、わしは人よりとろいけん、やっぱり友達がおらんで、ほいやけえ、よく一緒に遊んだもんや。

ひろちゃん？

な、なあ、なんぞ言うてや。どがいして黙っとる？　どがいして……こげなとこに、わしを呼び出したんや？

わ、わかっちょる。言うとりゃせん。誰にも言うとりゃせんよ、ひろちゃんが帰っとるなんて……なあ、どがいしてそんな怖い顔しとるんや……。も、もしかして、あんことやったら……人魚さんのことやったら、あれは違うき。わしは関係ないがやき。わ、わしは……旦那《だんな》さんに言われたけん、ほいやけん……。

え？

あん時のことは……もう十年も経つし、よう覚えちょらん。わしは頭が悪いけん……あっ、いっ、痛い、痛い……やめえや、殴らんといてえな、ひろちゃん。

う、う……ぐすっ……ほんまなんや……ほんまに、よう覚えとらんのや……わしかて怖かったんや……えろう怖くて……せやからはっきり覚えとらんのや……。

うん……うん、ほうやな……うん……もう大人やのに、泣いたらいけんのう。ほんま、わしはだめや。いまだに旦那さんに叱られる。グズやて、ノロマやて、叱られとる。けど、わしみたいなもんを使《つこ》うてくれとるだけでも、感謝せんといけんのや……。わしなんぞ島の外に出よっても、どげんもならんしな……。

うん。話す……。

覚えとることは、話すけん……。

散歩しとって……浜を、散歩しとって見つけたんや。こう、波際に、ふせっとった。わし、えらいぎょうてんして、すぐに駆け寄って……けど、もう、人魚さんは死んどったよ……。ほんで、駐在のタカやんを呼んで、旦那さん呼んで、ゴザかぶして……みんな言うとった。かわいそうに、溺《おぼ》れたんやなあって。おおかた、鮑《あわび》の大物でも狙《ねろ》うて、渦の巻く岩場に潜ったんやろうって……。ほんまになあ、かわいそうに……かわいそうなこと……。

ひっ。な、なんや、いけん、そがいなもん、どこで……うわあ、いけんっ。危ないけん、こっちに向けんで……！

ち、ちがう。わしやない。わしはなんもしとらん、ほんまやき！　わしは……わしは、運んだだけや……！

……ほ、ほうや……あの晩も……人魚さんは旦那さんに呼ばれて……わ、わし……覗《のぞ》いてたんや……旦那さんは人魚さんの上に……今までもあったことや。ほやけど……そのうち、ふたりが怒鳴りあって、ケンカになって、人魚さんが旦那さんの顔を引っ掻《か》いて……そしたら旦那さん、人魚さんの首を……。わ、わし、怖なって、そこから逃げた。五分もせんで、旦那さんに呼ばれて……そのときはもう……もう……。

あとは……。旦那さんに言われて……運んで……こ、ここに運んで。捨《ほ》ってた。ここにほったら、浜に流れつくよって……そしたら、せめて……せめて、ひろちゃんに会わすことはできる思うて……なぁ、かんにん……かんにんや……わしは旦那さんには逆らえんのや。みんなそうやろ？　漁師らも、駐在も、島のもんやったら旦那さんには逆らえんやろ。ほうやろ？　ここはそういう島やろ？

わしはやっとらんけえ、ほんまやけえ……堪忍してえな……。

ひろちゃん？　ひろちゃ…………や、やめ、危ないけん……。

やめ、

五

島の名前を聞いた時、洗足の顔つきが変化した。

もともと、表情豊かな人ではない。むっつりしているか、不機嫌そうか、もっと不機嫌そうか。脇坂が知るのはこのみっつ程度だ。稀《まれ》に、マメに向けては優しい顔も見せるのだが。

竜女島。

その名前を呟《つぶや》いた時の洗足の顔を……なんと表現したらいいだろうか。

不満？　いや、不安？　あるいは悪い予感？

語彙《ごい》の乏しい脇坂にはうまい言い方が思いつかないが、とにかくいつもと違った。ひとつ間違いないのは、洗足は竜女島を知っているということだ。行ったことがあるかどうかは別として、少なくとも島についてある程度の情報は持っている。だが、あの時点でそれを語ることはなかった。

——早くウロさんに電話しなさい。

脇坂は、そう命じられた。

——すぐここに来るようにと。それから、きみには調べてほしいことがある。落ち着いてはいたが、いつもより早口だった。それが事態の深刻さを表しているように思えて、脇坂は緊張しながら「はい」と答えた。

過去五十年間に、竜女島で起きた事件。

それを早急に調べるように言われた。

脇坂はまず、水希の祖父である波口の家に向かった。かつて竜女島に住んでいた波口に聞くのが、最も早いと踏んだからだ。すでに妻を亡くしている波口は、都下の古びた一戸建てでひとり暮らしをしている。急ぎ向かったのだが、何度インターホンを押しても反応がない。電話も留守番録音に切り替わってしまう。しばらく待っていたのだが、暗くなっても中の電気はつかない。仕方なく、脇坂は車に戻る。

波口がだめならば、誰を当たればいいのか……とりあえずは、一度本庁に戻るべきだろう。警察のデータベースにアクセスすれば、少なくとも刑事事件の履歴はわかる。

帰路の途中で君生からのメールが入った。

数日間の安静を要するそうで、そのまま入院になったとある。

君生のところへ行くべきだろうか？　メールが打てるくらいだから、話もできるだろう。だが、君生は島に住んでいたわけではないのだから、過去のことを知っているとは思えない。おそらくは無駄足になる。

竜女島。

あの島でかつてなにが起きたのか。

今、なにが起きようとしているのか？

——調べてほしいのは、大きな事件とは限りません。小さな事件、あるいは事件以前の揉《も》め事《ごと》。あとは、病死ではなく、事故死の記録。

そして洗足はなにを思いついたのか……。

脇坂はY対に戻ると、警視庁のデータベース、インターネット上の情報、地方新聞の過去記事などを調べた。三十年前までは島に病院があったことを知り、歴代の担当医にも連絡を取ってみた。何人かの医師とは連絡がついたが、とくに不審な事故・事件は思いつかないという。

——ただ……あの島はなんというか……。

三十年以上前に、二年間勤務したという元医師がこんなことを漏らしていた。すでに七十をすぎて、今は引退しているそうだ。

——閉鎖的、というんでしょうかね……。いえ、島の人たちはみんな親切でしたよ。よそ者の私にも、よくしてくれた。ちょくちょく新鮮な魚をもらったものです。でもね、それでも一線引かれてるのは感じてました。まあ、島の医師はたいてい二、三年で替わりますから……無理もないのかもしれません。

また、島には医師が不在だった時期もあったらしい。その場合、船で二十分のもう少し大きな島に渡ったそうだ。そちらには数軒の病院がある。

小さな離島での暮らし――脇坂には、いまひとつ想像しにくい。

脇坂は東京生まれの東京育ちだ。実家は閑静な住宅地の戸建てで、ご近所さんとすれ違えば挨拶《あいさつ》するし、町内会だってある。入れ替わりの激しい集合住宅とは違い、隣に誰が住んでいるのかも知らない、などということはない。東京にだって、コミュニティはちゃんとあるのだ。だが、たしかにべったりした関係ではなかった。つかず離れずの距離が保たれており、他人の家の内情まで知っているわけではない。脇坂が中学生だった頃、二軒隣のご夫婦が突然離婚した。のちに、そこの品のいい奥さんが、若い男と駆け落ちしたのだと知って、ずいぶん驚いたものだ。

適度な距離感。

人間同士が生きて行く上で、ある程度の距離は必要だ。距離が近すぎると、なんらかのトラブルが発生した場合、泥沼化しやすい。だが、小さな島に暮らしている場合、どうしたって距離は縮まる。そんな時、人はどうするのだろう？　逃げ場のない小さなコミュニティで生きるコツみたいなものがあるのだろうか。

――秘密の共有……というと大袈裟《おおげさ》ですが……。

ゴホゴホ、と咳《せき》を交えながら元医師は話した。

――島の人間は知ってて、私は知らないこと……そういうものは、たくさんあったと思います。結束力が強いんですね、きっと。ほとんどが漁師さんでしたから、網元の、ええと、波口さん、でしたか。あの家の主《あるじ》を中心に、まとまっていましたね。

波口家の影響力はかなり大きかったようだ。他に連絡の取れた医師も、波口、という名前はよく覚えていた。

脇坂は続いて、過去に竜女島から提出された死体検案書を調べた。

継続的な診療がされていた傷病がもとでなくなった場合は死亡診断書が発行されるが、それ以外の場合は死体検案書となる。つまり、事故死の場合は死体検案書だ。管轄に問い合わせたところ、過去五十年、竜女島から出た死体検案書は多くなかった。

転倒・転落死、交通事故死、そして溺水死《できすい》。

ほとんどが高齢者だが、わずかに例外があった。それらをわかりやすいように、リストにまとめておく。

自分でも驚くほどの集中力で、脇坂は仕事に没頭した。

ふと喉《のど》の渇きを覚え、腕時計を見る。すでに十時を過ぎていた。道理で空腹にもなるはずだ。脇坂は部屋を出て、自販機でホットコーヒーを買って戻る。鞄《かばん》の中からバータイプの携帯食を取り出す。仕事柄、食事をし損ねることがよくあるので、一個か二個は入れてあるのだ。

モソモソと食べながら、携帯電話を見る。

「うわ」

メールボックスを開いて、声を立ててしまった。

加南から何通ものメールが入っていたからだ。

――さっきはごめんなさい。お忙しいところに電話なんかしてしまって……。これから気をつけますね。KANA

どうやら、妖琦庵にいた時の電話の件を気にしているらしい。脇坂のほうも、あれはそっけなさすぎたかなあと、ちょっとばかり反省してみる。タイミングが悪かったのだ。いつもの脇坂なら、もう少しソフトな対応ができたはずだった。もう時間も遅いが、一応フォローは入れておこうか。とりあえずメールを全部読んでから判断しようと思った。それにしても多い。

――脇坂さん、怒ってますか？　ごめんなさい、こんなふうに聞かれても困りますよね。でも、もし怒らせちゃったのかと思うと……なんだか私、いてもたってもいられない気分なんです。本当に反省してます。KANA

――いま帰りの電車です。なんだか、変な人が私をジロジロ見てる気がしてちょっと怖いです。KANA

――変な人、まだこっちを見てます。車輌《しゃりょう》を変えようかと思ったんですけど、ヘタに動いて相手を刺激するのもまずい気がして……。KANA

――家につきました。変な人がついてこなくてよかったです。もう大丈夫なので、気にしないでくださいね。脇坂さんはまだお仕事でしょうか。水希のことは心配だけれど、脇坂さんの身体も心配です。無理しないでください。KANA

――本当は怒ってるんですか？　KANA

——もしかしたら、私がしつこくメールするから怒っているのでしょうか。だとしたらごめんなさい。脇坂さんを煩わせるつもりはないんです。ただ不安で……嫌われてしまったのではないかと不安で。こういうことを書くこと自体が、うざいですよね。ごめんなさい。もうやめますね。KANA

「うわ……これはちょっとまずいかも……」

口の端についた、カロリーバーの屑《くず》を取りながら脇坂は眉《まゆ》を寄せる。

いささか度を超している。最初のメールに『気にしないでいいです』とだけでも、返しておけばよかっただろうか？　いや、どっちにしてもメールは続いたのだろう。加南の中で、脇坂の存在が膨らみすぎている。

加南の好意は嬉《うれ》しい。脇坂だって男なのだから、単純にモテることは嬉しいのだ。女友達扱いされないのは久しぶりだったので、つい浮かれてしまった。それがよくなかった。刑事と協力者という適切な距離が、守られていなかった。脇坂自身は、加南に特別な感情は抱いていないのに……誤解させたかもしれない。

最後にもうひとつメールが残っていた。送信時間はつい三十分ほど前だ。

——脇坂さん、遅くにすみません。事件には関係ないかもしれませんが、水希ちゃんについて少しお知らせしたいのです。初めに謝らなくてはなりません。私が今までお伝えしてきた水希ちゃんについてですけど、少し違っていたというか、嘘、というわけではないのですが……たぶん、私も混乱していたんだと思います。

水希ちゃんはいい子です。誘拐されてひどいめにあうなんて、そんなのは可哀想すぎます。だけど、当たり前ですけど、水希ちゃんだって人間ですから、小さな欠点はあるんです。明るくて、裏表のない子だったけれど、それって、ある意味では単純で思慮が浅くて、物事をあまり考えないで発言するっていうことなんです。しかも彼女はそれを自分で気づいていないので、こっちから指摘するわけにもいかなくて、困ります。そういうところのある子です。いい子ですけど、完璧《かんぺき》じゃないです。

彼女には、自分が可愛い顔をした、若い女の子だという自覚がありました。男性にもてるという自覚もありました。そして、その自覚を隠す手管も持っていました。婚活では、たくさんの男が彼女に言い寄ってきます。それをうまくかわすためにはどうしたらいいのかも、わかっていました。したたかな子でした。だから、もしかしたら敵もいたかもしれません。以前、甲藤さんについて聞かれましたけれど、他にも彼女を恨んでいる人はいるかもしれません。

捕まえてください。脇坂さん、早く捕まえてくださいね。

水希ちゃんが死なないうちに、捕まえてくださいね。KANA

「…………」

脇坂は二回続けて、メールを読んだ。

一度目は背すじにゾクリと来て、二度目は胃がズンと重たくなる。

なんだろう、この嫌な感覚は。

加南はずっと水希を心配していた。水希はとてもいい子だと話していた。もちろん、人間なのだから短所だってあるだろう。それは当然なのだけれど……今になって長文メールで訴えるようなことだろうか？

「わっ！」

静寂を破って鳴り響いたスマホの着信音に、脇坂はビクリと驚く。発信者は鱗田だったので、安堵《あんど》しながら通話ボタンを押した。

「ウロさん、急に驚かさないでくださいよ……」

『はあ？　電話ってのは急なもんだろうが。電話する前に、電報でも打てってのか』

「いやいや。ちょっと変なメール読んでたとこだったんで……。あ、メール入れておきましたけど、波口さんには会えなかったんです」

『ああ、読んだ。留守なら仕方ないが……一応、あとでまた電話してみてくれ』

「そうします。先生のほうは、なんて仰《おっしゃ》ってました？」

『やはり竜女島は無視できんようだ。あの島には、事件の発端があるだろうと』

「発端？　でも誘拐が起きたのは東京ですよ？」

東京で攫《さら》われた水希が、竜女島に連れて行かれた……それならば脇坂にもわかるのだが、発端が竜女島というのは、どういう意味なのだろうか。

『俺にもよくわからんよ。先生は例のごとく、全部は話してくれんからな。だが、とにかく竜女島は今回の事件の鍵《かぎ》のようだ。そっちはなにかわかったか？』

「死体検案書のデータはまとめておきました。気になったのは、三十二歳で溺死《できし》した女性と、二十六歳で転落死した男性くらいですね。ただ昔の話なので、検案書もわりといい加減な記載で……」

『いつの事件だ？』

「女性のほうは四十二年前です。男性は三十二年前」

『そのデータ、俺の携帯に転送してくれ』

「わかりました。……あの、先生は青目についてなにか言ってませんでしたか？」

『青目？　いや、言ってないな』

ならば脇坂の早とちりだったのか。あのメッセージを読んだとき、胸の内にぶわりと沸き上がった不吉な存在感……気のせいであるならば、それでいい。そのほうがいい。

「ウロさん、今夜はこっちには来ないんですか？」

『ああ、もう東京じゃないからな』

「え？」

『さっき松山に着いた。明日《あした》の朝イチで、竜女島に移動する』

「えええ？　まさか、先生も一緒なんですか？　そんなあ、ずるいですよ！　なんで僕だけ置いて行くんですか！」

めいっぱい不服そうに言った脇坂の耳に、『馬鹿者』という冷たい声が刺さる。鱗田が携帯を洗足に渡したらしい。

『なにがずるい、ですか。あたしたちは遊んでるわけじゃないんですよ？』

「す、すみません……でも、事前に言ってくれても……」

『ギリギリで最終に間に合ったんです。こっちだって着の身着のままだ。お気楽なことほざいてる場合じゃないでしょうが』

「すみません……」

『謝ってるヒマがあったら、死体検案書のデータをさっさと送りなさい。それから、間違ってもあたしたちを追ってきたりしないように。きみはそのまま東京で、ウロさんの指示に従うこと』

それだけ言い放つと、通話は一方的に切られた。脇坂は言われたとおり、すぐにデータを送りながら、口の中でブツブツ言う。やっぱりおかしいではないか。鱗田の相棒は自分であって、洗足ではない。そもそも洗足は刑事ですらない。……いや、刑事でもない洗足に、ここまで協力してもらっているのはY対のほうなのだが……。

「……ずるいよなあ」

要するに、脇坂は自分も一緒に竜女島に行きたかったのだ。

事件解決の糸口がそこにあるのならば、行きたいと思うのは刑事として当然ではないか。べつに、置いていかれて拗《す》ねているわけではない。決してない。たぶん、ない……と思うのだが……。

思考を中断させたのは、新しいメールの着信音だ。

脇坂さん
ひどいですなんで御返事くれないいんですか私すごく協力しましたよね水希のことたくさん教えましたよねそれなのにちょっとだけ悪口書いたらもうだめですか無視するんですか忙しいとかいってもだめですよメールなんか一分なくてかけるんだからその一分を私のためなんかに割けないっていうことなんですかそういうことですかなら最初から返事とかいっさいしなきゃいいのになんで半端なことするのかわからない意味不明最初のうちは愛想のいい返事なんかよこして人を気分よくさせて情報だけ引き出して面倒になったらスルーとかそれってようするに甲藤とおなじってことだから言っとくけどそういうことだから嘘です嘘ですごめんなさいごめんなさい御返事ください空メールでもいいですなんでもいいです怒っててもいいです無視しないで無視しないで無視しないでむししないではやくつかまえてはやくはんにんをみずきがしぬまえにつかまえてよ

脇坂の息が止まる。凍らせた石を飲み込んだような気がした。

デッキで海風に吹かれながら、鱗田は洟《はな》をかむ。

駅前でもらったサラ金の広告が入ったティッシュは、いまひとつ紙が固い。以前はまったく平気だったのだが、このあいだ脇坂にもらったポケットティッシュがあまりに柔らかかったせいか、使い心地が気になる。贅沢《ぜいたく》はするもんじゃねえなと思いながら、ガサガサする紙で鼻の下を擦《こす》った。使い終わった紙は、コートのポケットにしまう。ゴミ箱を見つけたら捨てようと思っているのだが、昨今は町にゴミ箱があまりないので、もうかなり溜《た》まっている。

波の飛沫《しぶき》。船のエンジン音。

温暖な気候の瀬戸内海とはいえ、真冬の一月だ。海風の冷たさに肩を竦《すく》め、鱗田は赤茶色のマフラーに口まで沈めた。竜女島はもう見えているが、接岸まではしばらくかかるだろう。

古い腕時計を見る。時刻は午前九時四十分。昨日は松山のビジネスホテルに一泊し、早朝から車で移動して、現在に至るわけだ。定期船は朝と午後に一便ずつしかない。

潮風でぐしゃぐしゃになった髪を適当に直し、鱗田は船室に戻った。目に留まった自動販売機で缶コーヒーをふたつ買う。飲みたいというより、手を温めたかった。

「先生」

横に座り、微糖ミルクを洗足に渡す。無言で受け取る洗足は今日もやはり和装だ。鳶《とんび》コートに暗い赤のマフラー。足元は草履ではなく、珍しくブーツを履いている。

「そろそろ、教えてもらえませんかね」

自分のブラックコーヒーを開けながら、鱗田は言った。

「竜女島で、先生はなにを確かめたいんです？　俺や脇坂や警察に任せるのではなく、わざわざ自分で行くほどの……事件の発端とやらは、なんなんです？」

「……ウロさん。竜女島は人魚の島なんですよ」

鱗田を見ないまま、洗足が答えた。

「波口さんが話していた人魚伝説ですか？　でもそれは妖人《ようじん》とは関係なく、ただの伝説なんでしょう？　波口家は《人魚》ではないわけだし」

「そう。彼らは違う」

「ほかに《人魚》がいるとでも？　あちち……熱すぎだな、こりゃ」

少し啜《すす》ったブラックコーヒーはやたらと熱く、鱗田は舌を火傷《やけど》しそうになる。

「今はいないでしょう。……けれど、かつてはいた可能性がある。あたしはそれを確かめたいんです」

「事件と関係が？」

「ないことを祈りますがね」

洗足は缶コーヒーのプルトップに爪を掛ける。

「すべて、あたしの取り越し苦労だといい。ウロさんには悪いですが、島に渡るのも無駄足であってほしいと思っています」

「捜査なんてもんはほとんどが無駄足ですんでね。なんとも思いませんよ。……脇坂が、青目のことを気にしていましたが」

「脇坂くんの推理では、青目が水希さんを喰《く》う目的で攫った、となってるようですがね。それはないと思います。ただの食事のために、誘拐事件を起こす必要などない」

「……あいつは、本当に喰うんですね？」

人間を。人間の肉を。

鱗田の問いに「喰いますよ」と淀《よど》みなく答える。

「ただし、喰わなきゃ死ぬわけではない。しかも人を殺して喰うのはリスクがあまりに大きすぎる。あの男は狡猾《こうかつ》ですから、迂闊《うかつ》な真似はしないでしょう」

たしかにそうだろうが……となると、青目はどんな方法で食事をしているのか？　人を殺さないまま、人肉を得る？　あるいは、もう生きていない人間の——考えかけて、鱗田は怖気《おぞけ》立つ。いずれにしても、これは今考えることではない。現在進行の事件を優先させなければと、頭を切り換える。

「……先生。水希さんは、まだ生きてますかね？」

「わかりません」

答は早かった。

カシカシ、とプルトップを上げようとしながら洗足はもう一度「わからない」と繰り返す。爪が短すぎて、プルトップにうまく引っかからないようだ。

「すでに死んでいたとしてもおかしくはない。けれど、生きている可能性もある。この事件の動機は怨恨《えんこん》だと思いますが、それは水希さんに向けられているわけではない」

「では、彼女の家族に？」

「ええ」

「祖父の波口ですか？」

洗足の手から缶コーヒーを取り、代わりにプルトップを上げてから戻す。洗足は「どうも」と短く礼を述べてから、

「……それを確かめに行くんです」

と鱗田の質問に答えた。

孫の水希を溺愛《できあい》していたという、波口重伸。

彼がこの事件の鍵《かぎ》となる人物ならば、竜女島に行く理由も明確になる。かつて波口家が網元として島に居住していた頃に、なにかがあったのだ。今回の誘拐事件に繋《つな》がるなにかが。

鱗田たちがコーヒーを飲み終わった頃、船は竜女島の港に接岸した。

下船したのは鱗田と洗足、そして買い出しの帰りらしい老婦人がひとりだ。老婦人は怪訝《けげん》な顔で鱗田たちを……とくに洗足を見ている。都会の雑踏でも目立つ男なのだから、過疎の島で目立たないわけがない。鱗田は老婦人に頭を下げ、身分証を見せた。

「警察の者です」

「ほえ。警察。はあ。事件でもあったかね……？」

「まあ、ちょっとした調査と言いますか……波口さん、というお宅が以前あったと思うのですが、ご存じですか？」

紙袋をふたつ下げた老婦人は「まあ、そらなァ」と頷《うなず》く。

「この島のもんやったら、みんな覚えとろうよ。網元さんやったき。ほやけど、もう島から去《い》んで、ずいぶん経つわい」

「最後の当主の、波口重伸さんのことは覚えてますか？」

「名前は知っとるよ。けんど、うちん人は漁師じゃなかったけんのう、たいしたつきあいは……。ああ、ほうや、竜見《たつみ》の婆《ばあ》に聞いたらええが」

「竜見の婆？」

ほうほう、と老婦人は頷く。

「島の生き字引みたいな人や。うちが嫁いできた時には、もう婆様やったき……今はいくつになるのか……ほやけど、頭はしっかりしとらあ。昔のこともよう覚えとる」

老婦人は『竜見の婆』の家を教えてくれた。ここから徒歩でもさほど遠くはない。鱗田は礼を言い、老婦人は歩き出した。

だが、すぐに立ち止まり、トテトテと戻ってくる。

どうしたのかと思っていると、鱗田ではなく洗足の前に立った。荷物からふたつの小振りなみかんを出して「食べ」と渡す。

洗足は珍しく微笑みを見せて「ありがとうございます」と受け取った。老婦人は嬉《うれ》しげに頬を染めて、今度こそ立ち去る。

「先生、もてますな」

「まあね。はい」

洗足がみかんをひとつ渡してくれて、ふたりは歩き出す。

十五分ほど歩いただろうか。老婦人が目印と言っていた、大きな伊予柑《いよかん》の木があった。たわわに実っている枝の向こうに、古びた民家が見える。

「ごめんください」

鱗田が声をかけると、ミシミシと床の軋《きし》む音が近づいてきて、誰何《すいか》もなく玄関の引き戸が開く。小柄な猫背の老女が現れて、首を反らせるように鱗田たちを見た。

「お客さんかのう？」

笑っている。

皺《しわ》だらけの顔は、不自然なほどににこやかだった。その表情に、鱗田はやや臆《おく》する。

笑っているが……笑っていない。

目尻《めじり》は下がり、口元は上がっているが、瞳《ひとみ》は違う。小さな目の光は強く、鱗田と洗足を注意深く観察している。鱗田が「実は」と身分証を出そうとしたその時、

「おや。《濡女子《ぬれおなご》》」

洗足が言った。老女は「ほう」とさらに口角を上げ、前歯が一本ないのがわかる。

「久しぶりに、そう呼ばれたのう。あんたらはどなたさんかの？」

「私は警察の者で、鱗田と言います。こちらは捜査に協力してくださっている洗足さんで……」

「警察？　ほいたら、もしやあの兄さんの件かの？」

老女の顔つきが変わる。笑みが薄くなり、瞳には本気の懸念が浮かんだ。

「あの兄さんとは？」

「今野さんや。民俗学の先生とやらの」

「今野君生さんをご存じなんですか？」

「ご存じもなんも……まあ、お入り。そこの鳶《とんび》マントのあんたも」

鱗田と洗足は家に入り、炬燵《こたつ》の据えられた和室に通された。炬燵から手の届く範囲に、雑多な日常用品が置いてある。生活感溢《あふ》れるごみごみとした空間は鱗田にとってはどこか懐かしい雰囲気だが、いつもきちんと片付いている家に住まう洗足には、落ち着かないかもしれない。

と、思いきや、鳶コートを脱いだ洗足は、ごく自然にするりと炬燵に入った。さらには、ついさっきもらったみかんを袂《たもと》から出して、やおら剝《む》き始める。

「おや、あんたみかん持っとったかね」

「さきほど港でいただきました」

「ほうかい。そんで、あんたさんはお仲間かいな？」

半分に割ったみかんをパクリと口に放り込み、洗足は頷く。みかんが美味《うま》かったからなのか、老女への返事なのか、判断がつかない。

「甘い。……ええ、あたしも妖人《ようじん》ですよ」

両方だったらしい。つまり、洗足の言う《濡女子》とは妖人属性を意味していたのだ。

「ようわかったのう。ウチらァ、地味ィな妖人やのに」

「このあたりには、まだ何人かいらっしゃると……昔、母から聞いていました。洗足伊織と申します」

「竜見イクですわ。島のもんは、竜見の婆と呼びよるな」

「ええと、先生。つまり、竜見さんは、その濡《ぬ》れナントカという妖人で……？」

話に置いていかれそうな鱗田が尋ねると、洗足はあっさり「そうです」と肯定する。

「《濡女子》……《濡おんな》と呼ぶ地域もありますね。海辺に全身びしょ濡れの女が現れ、笑いかけてくる。笑い返すと一生つきまとう。妖怪《ようかい》としての濡女子はそんなふうに伝わっています」

「うひゃひゃ。一生つきまとったりはせんし、濡れたままでは風邪を引くわい」

「そう。妖人としての《濡女子》は、生来の『笑ったような顔』が特徴です。ここからはあたしの推測ですが、生まれつき愛想のよい顔なのですから、コミュニティ内で重要な位置に据えられる場合も多いでしょう。相談役になったり、揉《も》め事《ごと》の仲裁役になったり……もちろん、個人の性格によるとは思いますが」

「まあ、ウチはそういうのが苦にならんほうやなあ。ここらん人は、よそ者を怖がりよるき、島ン外から来よった人を世話するんもウチの役割やった」

「さらに、ご長寿が多いと聞いていますが」

「気候のええとこで、魚と野菜ばかり食うとるせいもあるやろが……まあ、ほんでも、島ン中でも長生きしとるわなぁ」

「失礼ですが、お幾つで？」

鱗田が聞くと「ヒッヒ、いややなこん刑事さんは。おなごに年聞きよるか」と笑われてしまう。

「まあ、三桁《みけた》に近いわい。……ほんで、刑事さん。学者の兄さんはどないしよった？」

目から笑みを消し、真顔でイクが聞く。

「いや、我々は君生さんの件で来たわけではないのですが……。今は東京にいらっしゃいますよ。身体の具合を悪くして、入院してますが」

「入院？　ああ、ほいで急に来られんようになったんやな……やっと合点がいったわ。かなり悪いんか？　電話も出られんようやし」

「イクさんは、君生さんをご存じなんですね？」

注ぎ口が少し欠けた急須《きゅうす》から茶を注ぎながら、イクは「そらそうや」と答える。

「ふぃーるどわーく、とやらに来たときは、ココに泊まりよるきに」

「ああ、そうでしたか」

「網元さんとこの、孫いうてたな。人好きのする、ええ子や。人魚伝説の研究しよるそうやけど……そんなんで食うていけるもんかね？」

真顔で聞くイクに、洗足が「大学の講師もしているそうですよ」と答えた。答えながらも、視線がやや揺れていて、なにか考えているのがわかる。今までの話に、不審な点はあっただろうか？　君生が大学で民俗学の講師をしていることは確かだし、自分の祖父が住んでいた島の伝承に興味を持ったとしても、不思議ではない。

鱗田は、イクに祠《ほこら》の写真を見せた。犯人が君生に送ってきたものである。

「ああ、こりゃ人魚様の祠や」

「人魚様？」

「伝説の人魚様を祀《まつ》っとるんや。まあ、今じゃあお参りする者もおらんがのう……昔は、網元さんがお供えもしとった」

「網元さんというのは、つまり波口さんですね？」

「ほうよ」

「そのことをお聞きしたいんです」

鱗田は本題を切り出す。

「今年に入ってすぐ、ニュースになった誘拐事件をご存じですか？」

「人魚誘拐事件、いうやつやろ。テレビでさんざんやっとったわ」

「事件の被害者で、いまだ行方のわからない今野水希さんは、君生さんの妹なんです」

「な、なにいうた？」

　よほど驚いたらしく、イクは鱗田に出しかけた湯飲みを落としそうになる。慌ててそれを受け取ったが、少し零《こぼ》れてしまう。今野、という姓は聞いていただろうが、それがかの誘拐事件の関係者だとは思ってもみなかったようだ。

「被害者は水希さんと言うのですが、彼女もまた、波口さんの孫になるわけです。この事件の動機は怨恨《えんこん》ではないかと我々は見ています。祖父である波口さんが関与している可能性もあるのですが……心当たりはありませんか？」

「あん兄さんの……妹やったんか……。確かに、網元さんとこは、人魚様の家やったけど……」

　呆《ほう》けたように固まってしまったイクを、洗足が見る。

「人魚様とは、波口家に生まれる、潮を読める娘のことですね？」

「まあ、そういうことになっとるわな……」

「イクさんから見て、それは真実ではなかったと？」

「そがいには言わん……。けんど、鰯《いわし》の頭もナントヤラいうやろ。ああいうんは、信じるちゅうことが大切なんとちゃうかの。少なくとも、漁師がぎょうさんおった頃はみんな信じとったし、なんちゅうか、心の支えみたいなもんになっとった。まあそれも、かなり昔のことや。網元さんが島を出た頃には、人魚様信仰も消えかけとった」

「波口の家は、妖人の《人魚》だと思いますか？」

「そらわからんわ。人魚様と《人魚》は、また別モンやろし……。ウチからしたら、あのおなごのほうが、人魚のように見えたしな……」

「誰です？」

洗足の問いに、イクは一瞬躊躇《ためら》った。台ふきんで零れた茶を拭《ふ》きながら「まあ、人魚のような別嬪《べっぴん》が、おったわけや」と歯切れ悪く言った。

「では、須佐見孝《すさみたかし》、という人を覚えてますか？」

鱗田の問いに、イクは「須佐見？」としばし考え、すぐに「ああ、タカやんなァ」と思い出した。

「駐在さんや。この島で育って、高校から松山に行って、警察官になって、島に戻ってきた。けんど、しばらくして駐在をやめて島を出よったわい。もうずいぶん昔の話や。かれこれ……」

「はい。こちらで調べることができました」

鱗田は手帳を捲《めく》り、話す。

「須佐見さんがこの島の駐在所に勤務していたのは五年間。その後警察官を辞め、福岡、名古屋、東京と転々として……一昨年《おととし》、亡くなっています」

「死んだ？　この婆より、だいぶん若かったはずやけど」

「六十四歳でした。病死ではなく、事故死です」

「事故……」

「酒に酔って東京湾に転落し、溺死《できし》したようで」

「……溺《おぼ》れ死んだわけやな」

「はい」

イクの目尻《めじり》は相変わらず下がったままだが、薄くなった眉《まゆ》は寄せられていた。視線が下に落ち、なにかを考えている様子だ。

鱗田が須佐見の存在を知ったのは、以前、波口が捜査本部に乗り込んできた直後のことだ。

洗足に、自分たちの一族は《人魚》ではないと指摘され、さらに孫娘が攫《さら》われたのは、怨恨からだろうと告げられ、波口はかなり動揺していた。乗り込んできた時の勢いはまったく掻《か》き消され、去って行く時には膝《ひざ》がガクガクと震えていたほどだ。

鱗田は波口のあとをつけた。すると、波口は駅前で公衆電話ボックスに入った。

手帳を取りだし、どこかに電話をかけている。

誰かと話し、明らかに驚愕《きょうがく》する顔を見せた。声までは聞こえないので話の内容はわからなかったが、のちに公衆電話の番号記録からどこにかけたのかはわかった。

須佐見孝の妹の家だったのだ。

須佐見は独身だったが、妹は結婚して香川県に住んでおり、確認したところ、間違いなくその日波口から電話があったという。須佐見は一時期、妹のところに居候していたそうで、波口はその頃に電話番号を知ったのだろう。

──波口さんは、兄と連絡を取りたいと仰《おつしや》ってました。

須佐見の妹はそう教えてくれた。

──ですが、兄はすでに亡くなってましたので……。そうお伝えしたところ、大変驚いてました。なにがあったのかと、ずいぶん気にしていただいて……。

同郷の知人が死んだと知れば、驚くのは当然だ。

だがなぜ、波口は警察署を出た直後に電話をかけたのか。まるで突然、須佐見のことを思い出したかのように。

鱗田は須佐見の溺死について調べてみたが、これといって不審な点は出てこなかった。遺体からは大量のアルコールが検出されたし、争った形跡もない。だが、なぜ須佐見が海の近くでそれほど泥酔したのかもわかっていない。

──お恥ずかしい話ですが……兄とは縁切りしたも同然だったんです。警官をやめてからは、なにをしてもうまくいかなかったようで、酒に溺れるようになり、職も失い、うちでも面倒を見きれなくなっていました。酒に酔って海に向かったのなら……自殺も同然だったかもしれません……。

妹は沈んだ声で、そう話した。

確かに自殺の可能性はある。けれど、その仮説を裏づける証拠はなにもない。

「須佐見さんと波口さんの関係は、どういうものでした？」

重ねてイクに問うと「どう、というても」とやや口籠《ご》もる。

「須佐見さんは警察といえども、まだ若い一巡査。そして波口さんは島の中心人物……言い換えれば、権力者とも言える立場だったのでは？」

「まあ……そういうことや。島の漁師らは漁業権を網元から買《こ》うてたしな。漁協ができてからも、力関係はそうは変わらんかった。まあ……正味な話、網元さんに借金しとるもんがぎょうさんおったんや。漁師だけやなく……」

「須佐見さんにも借金があった？」

「……まだタカやんが二十一、二の頃やったかな。おっかさんがウチのとこに相談にきよった。水商売の女に入れ込んで、ずいぶん貢いどるて嘆いてな。網元さんとこに、借金もある言うとった。そのあと、返済したかもしれんが……」

「なるほど……。ではもうひとり。小津吉市《おづきいち》さん、覚えてますか？」

こちらは脇坂から送られてきたデータにあった名前である。

「覚えとるよ」

自分の湯飲みを両手で包むようにして、イクは答えた。皺《しわ》だらけの指には力みが見られ、まだお茶に口をつけてはいない。

「網元さんとこの、使用人だった子や。可哀想に……まだ若いうちに死んだわ」

「三十二年前で、小津さんは二十六歳でしたね」

「そんくらいやったかのう」

「我々で死体検案書というのを調べたんですが、それによると転落死となっています。

崖《がけ》から落下した、と」

「ああ。島の北にある崖から落ちたんや」

「なぜそんな場所から？」

「さあのう。島ン中でも人気《ひとけ》のないとこやし、なんでそんなとこに行ったんやろて、みんな首を傾げとった」

「崖の下は？」

「そら、海や」

海に落ちて死亡——転落死か、溺死か。落ちる前に死んだのか、落ちてから死んだのか。遺体の肺を確認すればはっきりするが、検死記録にはなかった。

「小津さんと波口さんの関係は良好でしたか？　揉《も》め事《ごと》などは？」

「吉市はちぃと頭の巡りがのんびりした子でな……。両親は島を出ていってしもうて、婆さんとふたりで住んどった。勉強も苦手やったし、けど性格は素直な子やったから、中学出てすぐ網元さんとこの使用人になったんや。網元さんもなあ、漁師やき、きついとこはあるやろが……揉め事いうのは聞いたことがないなァ」

須佐見孝は波口から金を借りていた。

小津吉市は波口の家の使用人だった。

そしてふたりとも、海で亡くなっているのだ。鱗田は耳朶《みみたぶ》を引っ張りながら、洗足を見る。洗足は鱗田を見てはいなかったが、それでも鱗田の心中を察したかのように、

「イクさん。いまひとり、お聞きしたい人がいます」

と切り出した。イクは返事をしないまま、ハァと深い息をひとつ零し、ズズッとお茶を飲む。そしてゆっくりと洗足を見上げて聞いた。

「余内佳子《よないけいこ》、かね」

「はい。なぜおわかりに？」

「タカやんも吉市も、海で死んだ。ウチの覚えとる限り、あとひとり溺死しとる。それが佳子さんや。……人魚さん、や」

人魚？　イクから出てきたその言葉に鱗田は少なからず驚く。確かに、リストの中に余内佳子の名前はある。だが、彼女と人魚に、どんな関係があるというのだ？　思わず洗足に向かって「先生」と声を発してしまったが、洗足は静かに手のひらを向けて鱗田を制し、イクを見たまま続けた。

「余内佳子さんは、この島の生まれでしたか？」

「いや。よそ者やった。……いつ頃やったかの、島に来たんは……四十年前くらいか……もっとかもしれん」

「佳子さんが亡くなったのが、四十二年前です」

「ほいたら、そっからもう二、三年前っちゅうことやな。ろくな荷物も持たんと、ふいっと島に現れたんや」

「なぜ彼女を人魚と？」

まさか、妖人《ようじん》《人魚》だったのか？　鱗田は一瞬そう思いかけてすぐに否定した。四十年以上前ならば、まだ妖人などという概念すらなかった頃である。

「人魚さん。島の男らはそう呼んどったんや。肉づきのええ別嬪《べっぴん》でな。頭に巻いた手ぬぐいを取ると、ツヤツヤした黒髪やった。素潜りが達者で、人魚みたいに潜ったかと思うと、鮑《あわび》やら取っとった」

それは、もしや……。

「海女《あま》さん、ですか？」

鱗田は聞いた。イクはコクリとひとつ頷《うなず》く。

「こん島には海女はおらんかったから、みんな珍しがってな……若い漁師なんかは、目のやり場に困っとったわ」

「目のやり場？」

なぜそうなるのかわからなかった鱗田に、洗足が「裸だったんでしょう」と告げる。

「えっ。海女さんてのは、裸で潜るんですか？」

「そもそも水の中は、なにも着ていないのが一番動きやすいんです。昔の海女さんは、ほぼ全裸に近い状態で潜っていたと聞きます。もちろん今は違いますよ。ウェットスーツもありますし」

「裸とはちごたが、白い薄っぺらなもんしか着よらんし……浜で身体を乾かすときは、ぽーんと裸になりよる。そのまま髪を乾かしとる姿はほんまに人魚のようやった」

「え？　ということは、余内佳子さんは海女なのに溺死《できし》したということですか？」

鱗田の問いに「そうやな」とイクは頷く。

「それは不自然じゃないですかね。泳ぎの得意な海女さんが、溺《おぼ》れるなんて」

「どんなに泳ぎが達者でも、溺れる時は溺れるもんや。まして佳子さんはひとりで潜っとったし、鮑のよう取れるとこは海草も多い。足を取られたら、しまいや」

「海草に足を取られて、溺死を？」

「たとえば、の話や」

イクの声がやや小さくなり、笑ったような顔のまま「誰も、見たもんはおらんもの」と続ける。

「そう。誰も見た者はいない」

同じ台詞《せりふ》を口にしたのは洗足だ。

「彼女が死んだところを見た者はおらず、のちに遺体が浜に打ち上げられた。ちょうど当時は島に医師のいない頃だったはずです。遺体を調べたのは警察官……この島で言うなら駐在さん、でしたね？」

「そうや」

「葬儀はどうなりました？　余内さんはよそ者で、親も夫もいなかったはず」

「ああ、親やらはおらなんだ。そんでも、まあ……海女ちゅうことで網元さんとのつきあいはあった。ほいやけん、網元さんがそのへんはしよった」

「遺体の発見者は？」

「……吉市や」

炬燵《こたつ》の上のみかんを凝視して、イクは言った。

ざわりと鱗田の背中が粟立《あわだ》つ。なんなのだ、この符号は。

須佐見孝、小津吉市、余内佳子——海で死んだ、三人。

その繋《つな》がり。無論、単なる偶然とも考えられる。けれど鱗田の背で毛穴がざわめき、なにかあると言っている。疑えと告げている。

三人の死は、本当にただの事故なのか？

「回りくどいのは性に合わないので、はっきり伺います。佳子さんは亡くなる前、網元の波口重伸氏と、男女の関係にありませんでしたか？」

その質問に鱗田はぎょっとしたが、イクのほうは瞬きを二度しただけだ。

「佳子さんが、時々網元さんとこへ呼び出されとるんは……みんな知っとった。知っとっても、見て見ぬふりがお約束や」

答える様子からして、予想されていた質問らしい。

「波口氏はもうご結婚されてましたね？」

「ああ。不倫ちゅうやつやったけどな。まあ、網元の若旦那《わかだんな》がちょいちょい女遊びをするんは、べつに珍しいことやなかった。ただ……佳子さんにはずいぶんご執心の様子やったなあ」

「それは合意の関係で？」

「どうやろうなあ……。無理矢理ではないと思うがの。佳子さんはわりかしあっけらかんとしたおなごで、ウチに漏らしたことがあるんよ。網元さんと仲ようしとったら、損はないやろてな。多少は金も借りとったようやし」

「つまり……金を貸してもらうために、身体を？」

鱗田が聞くと、イクは「うぅん」と白髪の生え際を掻《か》きつつ、

「というより、懇《ねんご》ろになってから、もちかけたんやないか？　よそ者がこん島で生きていこうと思うたら、後ろ盾はあったほうがええ。まして佳子さんには、子供がおったからな」

「子供？」

鱗田は声を出したが、洗足に驚く様子はない。

まるで最初から知っていたような顔をして、瞬きひとつでイクに話の続きを促した。

「まだ小さい男の子がおってな。佳子さんが死んだあと、遠い親戚《しんせき》っちゅう人が来て、つれていきよったが……」

「名前と年齢はわかりますか？」

手帳を取り出し、鱗田は聞いた。

「ひろし、言うてた。太平洋の洋で、ひろしやな。佳子さんが死んだ時、七つかそこらやろ」

余内洋──現在は五十歳前後になっているはずだ。

「イクさん」

洗足が唇を動かす。寒さのためか、すっかり乾燥した下唇に亀裂《きれつ》が入り、ぷつ、と赤く染まった。

「ひろしくんは、どんな子供でしたか？　性格や気質ではなく、外見的な特徴です」

「昔のことやけん、顔なんぞは覚えとらんよ。ああ、ただ……」

「ただ？」

イクはみかんを手にし、ヘタの近くにつぷりと親指を食い込ませた。あたりにプンと柑橘《かんきつ》が香る中で、思い出すように顎《あご》をやや上げながら「肌の弱い子やったな」と言った。

「可哀想なくらい手足が荒れて、ガサガサでな。ウチはよく、佳子さんに頼まれて、軟《なん》膏《こう》を手配してやったもんや」

洗足の眉間《みけん》に皺《しわ》が深く刻まれた。

僅《わず》かに血の滲《にじ》んだ唇が歪《ゆが》み、悪い予感が当たってしまったかのような表情になる。

「先生？」

なにを思い至ったのか聞こうとした鱗田だったが、洗足はイクのほうに身体ごと向けて、今まで一番早口に聞いた。

「イクさん。君生さんと何度か会っていると仰《おつしや》いましたね？」

「はあ。ここに泊まっとるもの」

「彼の手は荒れていましたか？」

「いんや？　学者さんの手は荒れんやろ。キレイな手よ。顔も、なかなかキレイな兄さんやったしな。そうや、写真があるわ。一緒に写メったんや」

ホホ、と嬉《うれ》しげに笑うイクに、洗足は「見せて下さい」と身を乗り出す。

なぜ、いまさら君生の顔を確認する必要があるのだろうか？　皺だらけの手が古い型の携帯電話をポチポチと操作し、何度か「いけん。ちごた」と失敗しながら、ようやく一枚の写真にたどり着いた。

「ほい。こん部屋で撮ったもんや」

洗足が携帯電話を受け取り、自分はろくに見もせずに鱗田に向ける。

「先生？」

「ウロさん。この人ですか？」

え、俺が見るのか？

鱗田は一瞬戸惑った。君生の顔ならば知っている。以前一度だけ……そう、脇坂と夷が婚活パーティに潜入する前に会っているのだ。どちらかといえば印象の薄い人だったが、職業柄、一度見た顔はまず忘れない。

鱗田は小さな画面を覗《のぞ》き込む。

目を見開いた。

瞬きした。

何度も見た。眉《まゆ》を寄せて目をこらした。

イクさんの隣にいる男。地酒の瓶を掲げ、陽気に笑っている男。

赤ら顔で、すっかり酔っている様子だ。

「……違う」

愕然《がくぜん》としながら鱗田は言い、洗足から携帯電話を奪うようにして、さらに見た。だが出てきた言葉は同じだ。

「違う、これは君生さんじゃない……！」

※

結婚はしていない。

恋人もいない。いたこともない。

気になる人はいた。でも気持ちを告げることはなかった。相手が、しばしばこちらを見ているのもわかっていた。職場の人たちは、きっとおまえに気があるぞ、と言っていた。だからなるべく目が合わないようにした。彼女が、手作りのお弁当を持ってきてくれたことがあった。受け取らなかった。人が作ったものは食べられないから、と言った。彼女の頬が真っ赤になって、走り去っていった。職場の人たちは、いくらなんでもひどすぎるぞ、と顔をしかめた。職場に居づらくなって、二か月後には辞めた。

いつも注意深くしていた。

幸せの気配。

幸福の香り。

そういうものを感じたら、すぐに逃げるようにしていた。

彼女の笑顔。手作りの美味《おい》しそうな弁当。

受け取れるはずがない。受け取っていいわけがない。

だって、自分は人殺しなのだから。

どれだけ時間が経とうと、過去が消えるわけではない。人殺しが幸せになってはいけない。少なくとも自分は耐えられない。だから、幸せの気配が近づくたびに、慌ててそこから逃げるようにしてきた。

臆病《おくびょう》な人生を送ってきた。

いつ警察がやってきて、自分を逮捕するのだろうと考えていた。そうなったら、いっそすっきりしたかもしれない。かといって自首するほどの度胸もなく、ずるずると生きてきた。

親を失い、故郷を失い、友達もおらず、職も安定しない。

なんの覇気もない人生なのに、不思議なことに腹は減る。飯を食って、寝て、腕と脚を掻きむしりながら生きて行く。爪の間はいつも血で汚れている。

四十五のときに、心臓が悪いと言われた。

原因不明の疾患。放置すれば命に関わる。……そうか、と思った。それだけだった。べつにいい。明日死んだところで惜しい人生でもない。

「……それでいいのか？」

病院で精算を待っている時に、話しかけられた。

「やり残したことがあるんじゃないか？　いや、やらなければいけないことが、あんたにはあるだろう」

誰だ、と聞きはしなかった。きっとこいつは死神なのだろうと思ったのだ。

「もうすぐ死ぬなら、尚更《なおさら》だ」

死神が笑う。

死神のくせに、色男だった。いや、それでいいのか。死神はきっと、魅力的な姿で獲物に近づくのだろう。

笑いながら、囁《ささや》く。

あの男がいまどうしているか。

製薬会社に土地を売って、島を捨てた。家族で都会に出た。金があったから、万事うまくいった。もう孫がふたりいる。中でも孫娘を可愛がっている。幸せそうだと言う。島のことなど、すべて忘れただろう。自分が犯して殺した女のことなど、きれいさっぱり忘れただろう、と。

あんたはすべて失ったけれど、あいつは全部持っているぞ、と。

これでいいのか。このままでいいのか。

ほら、聞こえないか？

海に捨てられた女の嘆きが。敵《かたき》を討ってくれと泣く声が。

苦しかったはずだ。惨めだったはずだ。残したあんたのことを思い、いまだに安らぎを得てはいない。濡《ぬ》れ髪《がみ》のまま、煉獄《れんごく》を彷徨《さまよ》っているだろう。その声が聞こえないか？

時間はない。あと数年だろう。

それがあんたの宿命ならば、少ない残り時間を、どう使うべきだ？

なにを躊躇《ためら》っている。あんたは間違っていない。あの足りない男は殺されて当然だったんだよ。ひとり殺したら、同じだ。二人も三人も同じだ。殺してはいけない？　なぜだ？　復讐《ふくしゅう》してはいけない？　どうして？　誰が決めた？　そんなのは人の理屈だ。人じゃない者は無視していい。人じゃないんだよ、おまえは。だからこの世界に馴染《なじ》めないんだ。あの女がそうだったようにな。

本当は、気がついているはずだ。

おまえはこの世界に愛されていない。無視されている。踏みつぶしても構わない……いや、靴の裏についていることにすら気づかれない、虫けらのようにな。

だからおまえも、この世界を憎んでいいんだ。

おまえを愛したのはあの女だけだ。死んだ今だって、おまえを愛している。

ならばおまえは、あの女のためにすべきことがあるだろう？

……ああ、不思議だ。

久しぶりに思っている。死神に出会って思っている。

もう少し、生きなければと。

六

違う。君生ではない。

イクの携帯電話に収められていた写真を見て愕然とした鱗田だったが、すぐ洗足に「そうじゃない」と否定された。

「こっちが君生さんなんですよ。本物の」

つかのま、洗足の言葉が呑《の》み込めなかった。

これが本物？　この、明るい酔っ払いが本物の今野君生であるなら、あっちは誰だ。今まで脇坂が会っていた線の細い男は誰だというのだ？

そしてそいつは、なんのために君生のふりをしていたと……。

グッ、と鱗田は顎《あご》に力を込める。

「先生」

洗足を見ると、小さく頷《うなず》く。

偽者の君生は間違いなく今回の事件に関与している。まだ犯人だと断言はできない。だが、少なくとも犯行の一端を担っているはずだ。

被害者の兄のふりをして、刑事に近づき、情報を流し……待て。ならば、本物の君生はどこにいる？　偽者にとって邪魔であるその存在は、今どうなっているのだ？

鱗田はイクに向き直り、早口に聞いた。

「イクさん、さきほど、君生さんがここに来るはずだったと仰《おっしゃ》ってましたね？」

「ん？　ああ、ほうよ。電話があってな。また調べたいことがあるから、二、三日泊めてもらえんかと。正月やし、ちっとは馳走も用意して待っとったんやけど、姿を見せんけん、心配しとったんや」

「君生さんはいつからここに来る予定だったんです？」

「年末の三十日やったなあ」

鱗田は手帳を捲《めく》った。君生の父親の話では、確かに君生は年末から仕事で連絡が取れない、と言っていた。この出張がフィールドワークのことを指しているのだとしたら、合致している。

「……イクさん。君生さんは、島でなにを調べるか言っていましたか？」

聞いたのは洗足だ。イクは「そら人魚や」と当然のように答える。

「人魚伝説を書いた文献がどうたらこうたらと……なにやらはしゃいどる様子やったのう。子供みたいなとこのある人やけん」

「文献？」

洗足は眉《まゆ》を寄せ、軽く俯《うつむ》いたあと、すぐに顔を上げて「ウロさん」と呼んだ。

「おそらく……本物の君生さんは、年末、この島に来たはずです。文献というのは、君生さんをおびき寄せるエサでしょう」

「偽者が、本物を島におびき寄せたと？」

「偽者が動くあいだ、本物に出てこられては困りますからね……。イクさん、この島に人ひとりを閉じこめておけそうなところはありますか？」

その問いに、イクは「物騒な話やな」と顔をしかめつつも教えてくれた。

「廃屋やったら、なんぼでもあるわ。無人島寸前の島じゃけんの」

「暴れたり、叫んだりしても聞こえないような家も？」

「そら難しいなあ。どっこも、ここみたいな荒ら屋じゃけん」

と、一度は首を傾げたイクだったが、続けて思い出したように「ほやけど」と顔を上げる。

「製薬会社の、出張所があるなあ」

「製薬会社？」

「もう三十年も経つかのう……こん島で取れる薬草目当てに、製薬会社ん人らがよう来とったんや。そん人らが建てよった出張所はコンクリやったし、集落からは外れとるけえ、閉じこめられたら誰にもわからん」

「……そこだ」

鱗田はほとんど反射的に立ち上がっていた。

本物の君生がそこに監禁されている可能性は高い。洗足も立ち上がり、鳶コートを取る。十二月三十日から監禁されているのなら……もう二週間が経過している。一刻も早く保護しなければならない。事情がわからず戸惑うイクに詳しい場所を聞くと、礼もそこそこに製薬会社出張所に急ぎ向かった。

過疎化した集落を抜ければ、雑木林だ。

季節が冬なので草丈はさほど高くはない。それでも歩きやすいとは言えない中を、鱗田が先になって進む。和装の洗足はもっと歩きにくいだろうに、鱗田から離れることなくついてきてくれた。イクによると、雑木林に入ってから二十分ほどの距離らしい。

「先生」

足を止めることなく草を踏みつつ、鱗田は聞く。

「君生さんの偽者は、なんだって私らにあんな情報を流したんでしょう。まるで、私らをこの島に誘導したかのようですな」

「誘導したんですよ」

洗足は答えた。かなりの早足で進んでいるのに、息は乱れていない。

「我々は誘導されたんです。奴の筋書き通りに、この竜女島を訪れた」

犯人に踊らされた、ということか。舌打ちしたい気分だが、悔しがるのはあとからでもできる。今は、これからどう動くべきかを熟考するのが先決だ。

「先生はいつ気づいたんです？　君生さんが偽者だと」

「確信したのはさっきですよ。イクさんの話から推察したんです。それまではあくまでひとつの可能性でした。あたしはその君生という人に会ったことがないし、たいした情報も持っていませんから。……ただ、違和感はあった」

「違和感？」

ずる、と泥に足を取られ、鱗田はよろけた。昨日の夜あたり、雨が降ったらしくて足元が悪い。洗足がブーツを履いてきてくれてよかった。

「民俗学者にとって、フィールドワークは研究の根幹を成すもののはずです。都会よりも地方へ、ときには山奥の村にも行くでしょう。それなりに体力だって必要なはずだ。なのに心臓に持病があるというのは、いささかひっかかる」

「ああ、脇坂が連れてこようとした時ですな？」

「そう。車で途中まで来たのに、突然具合が悪くなった……。ですが、持病を抱える研究者がいないとは限らない。薬でコントロールできる程度の病状だと、脇坂くんも言っていたので、見過ごしてしまった。もっと疑うべきでした。あとは、手袋」

「手袋？　……くそっ、なんで繋《つな》がらないんだ」

さっきから何度も脇坂に電話をしているのだが、携帯電話は使い物にならない。集落から外れると圏外になってしまうようだ。イクの家を出た時点で脇坂にかけたのだが、通話中だった。タイミングの悪い男である。

「先生」

鱗田は立ち止まり、洗足を振り返った。

「すみませんが、先生は一度集落に戻って、脇坂と連絡を取っていただけますか」

今からふたりとも引き返すのは大きな時間のロスだ。かといって、洗足をひとりで製薬会社出張所に行かせるわけにもいかない。どんな危険があるのかわからないし、場合によっては犯人が潜んでいるかもしれないのだ。民間人である洗足に、そこまでのリスクを負わせるなどあり得ない。鱗田がひとりでこのまま進み、洗足には戻ってもらうという選択がベストだと判断した。

「それはできません」

インバネスに包まれた、漆黒の男が拒絶した。

「先生。お願いです。誰かが脇坂に連絡をしないと……」

「脇坂くんに連絡を取りたいのならば、ウロさんが戻ってください。あたしはこのまま進まなければならない」

洗足は頑固者だが、同時に非常に理性的な男のはずだ。こんな状況でごねるのは珍しい。鱗田は困惑しつつも、今一度「どうか戻って下さい」と頼んだ。

「先生をひとりで行かせられるわけがない。相手は警察を誘導するような奴です。罠《わな》だという可能性も……」

「誘導されたのは警察じゃありませんよ」

「え？」

洗足が視線を落とし、鳶《とんび》コートの裾《すそ》についた枯葉を払う。

水滴を纏《まと》った枯葉は、コートの裾からは離れたものの、今度は洗足の手へと貼りつく場所を変えた。白い手が払う仕草をするが、枯葉はなかなか落ちようとしない。

「あたしです」

右手の甲に濡《ぬ》れた葉をつけたまま、洗足が言った。

「奴がおびき寄せているのは、あたしです」

静かに、だが明瞭《めいりよう》に言われたにも拘《かかわ》らず、鱗田はその意味を摑《つか》めなかった。

犯人は洗足を誘導した？　警察ではなく？

「偽者は脇坂くんに近づくことで、情報の流れを操作した。捜査本部に知らせれば水希さんに危害が及ぶ……そういう脅しがある以上、あの新米刑事があたしのところに来る可能性は高い。それを承知だったんですよ」

「つまり……そいつは、先生を知ってる……？」
ザ、と風が吹く。
雑木林の木々が揺れる。

裸木の、骨のように尖《とが》った枝先がブルブルと震える。洗足の前髪が乱れ、右手が軽くそれを押さえる。

「そして、あたしが必ず動くことも知っていた」

手の甲に貼りついていた枯葉が、やっと離れる。

そしてまた、鳶コートの裾につく。

しつこい。

なんて、しつこい――。

「先……」

「君生さんは生きてるはずだ。生きている可能性が高い以上、あたしは行かざるをえないからです。死んでいるなら、すべて警察に任せることもできるのに……」

狡《ずる》賢い奴だ……という言葉は、ほとんど聞き取れないほどに掠《かす》れていた。

※

所轄署の小さな会議室で、脇坂は座ったまま目を閉じていた。

眠い。けれど、眠ってはいない。

厳密に言えば眠ることができないのだ。考えるべきことが多すぎて、脳が休憩を拒んでいる。

自宅のマンションには戻っていない。朝の五時頃まで本庁で資料の山と過ごし、そのあとは捜査本部のあるここ、所轄署に戻ってきた。一度マンションに立ち寄ってシャワーを浴びることも考えたのだが――その気力が湧かなかった。きれい好きの脇坂としては珍しいことである。

少しは眠ったほうがいい。そのほうが気力も回復するし、頭だって冴《さ》える。

そんなことはわかっているのだが、眠ろうとするたびに今起きている事件のこと、過去に竜女島で起きた事件について、そして加南のメール……そんな諸々《もろもろ》が脳味噌《のうみそ》の中を駆け巡り、安らかな気持ちにはほど遠くなる。何度か浅く眠りはしたのだが、そのたびにおかしな夢を見た。

みじん切りにされた人魚に、鼻歌を歌いながら塩胡椒《しおこしょう》をしている夢。

謎の孤島に流れ着き、美しい人魚たちに歓待されたはいいが、結局自分が食べられてしまう夢。

人魚になった加南と、炬燵《こたつ》でみかんを食べている夢。そのうちに炬燵が熱すぎると加南が騒ぎ出し、炬燵布団から出た魚の下半身は焼け爛《ただ》れていた。

どれも眠らない方がましな夢だった。

だが目はクタクタだ。昨日から大量の資料を読んだため、眼精疲労による頭痛も起きている。せめて視力は休ませようと、接客用のソファに背中を預けて目を閉じている。

今頃、鱗田と洗足は竜女島だ。

自分も一緒に行きたかった。今からでも追いかけようか？　いや、だめだ。もう遅すぎる。移動時間が無駄になるだけだろう。

脇坂はゆっくり目を開ける。目の前の長机にあるのは、一時間ほど前に買ってきたコーヒーの紙コップと、自分のスマートフォンだ。

加南からのメールや電話は、すべて拒否設定にした。コーヒーを買っていたときに加南からの電話が入り、脇坂ははっきりと『仕事に差し支えて迷惑しています。もう電話もメールもしないでください』と伝えた。加南はなにやらわめいていたが、無視して切った。するとすぐに着信記録が表示される。タイミング悪く、鱗田からの電話が入っていたようだ。すぐにかけ直したのだが、電波の届かないエリアに入ってしまったらしい。それきり、なんの連絡もない。

ずるり。

合皮のソファで背が滑る。

疲れた。仕事にではない。自分の馬鹿さかげんに疲れたのだ。

そりゃもてたいと思っていた。男なら誰だってもてたいだろう。いや、女性でも同じか。人は誰でも異性にもてたい。同性にだって好意を持たれたい。けれどそれはあくまで、自分に都合のいい範囲での話だ。常軌を逸した好意は恐怖ですらある。脇坂はもっと早く気がつくべきだったのだ。あまりにも頻繁にメールが来ていた時点で、相手をシャットダウンすべきだった。もし加南が水希の友人ではなかったら、そうしていただろうし……いや、やはりもてている自分に浮かれて、後の祭りになったのか？

「……あー、ちくしょ……」

両手で顔を覆い、指先で目頭を押す。そのままこめかみに指をずらし、グリグリと刺激する。少しだけすっきりしたような気がする。ほんの少しだけだが。

「脇坂？　こんなとこでなにしてる」

「玖島さん」

会議室の扉が開いて、玖島が顔を覗《のぞ》かせた。いつも銀行員のようにパリッとしている玖島だが、今朝はずいぶんとくたびれた姿で喉元《のどもと》のネクタイも緩んでいた。

「ご休憩か。いいご身分だな。ウロさんはどうした」

「えーと……ちょっと別行動で。玖島さんは張り込みだったんですか？」

「ああ。水希さんが短大時代に交際してた男の行動に不審な点があったんでな……だが、当てが外れた。別の女のストーカーになってたよ。やれやれだ」

「ストーカー……玖島さん……人はなぜストーカーになるんでしょうか……」

「はあ？」

「玖島さん、好きな人ができたらストーカーになります？」

「ならないよ。なに言い出すんだおまえ」

「ですよね。だって、そんなことしたら、好きな人に嫌われちゃいますもんね……なんで嫌われるようなことをしてしまうんだろう……好きな相手には、好きになってほしいはずなのに……嫌われたら意味ないのに……」

「なんなんだ。気持ちの悪い奴だな」

悩む脇坂を尻目《しりめ》にさっさと立ち去りかけた玖島だが、扉が完全に閉まる寸前ヒョイと顔を戻す。

「そういえば、以前調書を取ったストーカー男が言ってたぞ」

「え？」

「無視されるのは我慢できない。嫌われるよりいやだ、とかなんとか……要するに、歪《ゆが》んだ承認欲求なんじゃないのか？　私は専門家ではないから、よくわからないがな」

それだけ言うと、今度は本当に立ち去って行った。

承認欲求とは自分を認めて欲しいと思う気持ちのことで、誰にでもある感情だ。それはそうだ。人間は社会を形成する動物なのだから、他者から認めてもらえないと、生きていくのはつらい。つまりストーカーも、相手から認められたいと思っているわけだろうか？

――無視しないで
加南のメールにも、そうあった。彼女もまた、脇坂に認めてほしいのだろうか。

彼女の脳内では、すでに自分は脇坂の恋人になっていて、それを認めてほしいと？

だがこちらとしては、あくまで『被害者の友人』という認識なのに、恋人として認めろと迫られても無理な話で、けれどその理屈は加南には通じないわけで……。

ちょっとベタついた髪をグシャリとかき混ぜる。人がわかりあうというのは――脇坂が考えているより、ずっとずっと難しいことらしい。

加南のメールは読み返す気にもなれず、ゴミ箱ファイルに落としていたのだが……今後のために、証拠として保管しておいたほうがいいのかもしれない。

脇坂はスマートフォンを手にし、加南のメールをゴミ箱ファイルから戻す。

一応、読み返してみた。最初の時よりも冷静な気持ちで読めたが、やはり最後のほうで漢字変換すら放棄したあたりは、鬼気迫るものを感じる。

――無視しないで無視しないで無視しないでむししないではやくつかまえてはやくはんにんをみずきがしぬまえにつかまえてよ

「……ん？」

すぐに閉じるつもりだった画面を、脇坂は凝視する。

なんだろう。なにか、ある。

なにか感じる。このますぐにメールを閉じてはいけない違和感を覚える。

加南のストーカーじみたメール。文章の乱れは、精神的に不安定だからだろう。けれど、最後の一文はおかしくないだろうか。ずっとメールや電話の返事をくれないことに憤っていたのに、唐突に水希の話に戻っている。いつまでも水希を見つけられない警察と脇坂を非難しているのはわかるが……このメールの最後にそれが来ることに違和感があるのだ。脇坂を罵倒《ばとう》しているなら、まだわかる。役立たずと罵《ののし》って終わるならば、感情の流れとして納得できる。けれどこれは……。

はやくつかまえてはやくはんにんをみずきがしぬまえにつかまえてよ

まるで、懇願のようだ。

鬼気迫る懇願のようではないか。

※

「青目、なんですな」

今や、洗足は鱗田より先を歩いていた。

インバネスの裾《すそ》が翻るのを見つめながら、鱗田は再び問う。

「先生。青目が……本物の君生さんを拉致《らち》したんですな？」

「そうです」

揺るがぬ返答だった。濡《ぬ》れた土と雑草を踏みながら、和装の男は迷いなく進む。

「つまり、脇坂くんの勘はある意味当たっていたことになる。青目は水希さんを誘拐してはいないものの、この事件に大きく関わっている」

「人魚伝説の文献という餌で君生さんを島におびき寄せ、拉致監禁する役割……」

「それもありますが、そもそもこの事件の計画を立てたのが青目なんでしょう。奴は事件の主役ではない。表舞台には立たない。けれど……脚本を書いている」

またか。

内心で呟《つぶや》き、鱗田は唇を嚙《か》みしめる。人の抱く負の感情を嗅《か》ぎつけ、焚《た》きつけ、実践させる——青目甲斐児のやり口は判っているのに、また阻止できなかった。

「先生。では、水希さんを連れ去ったのは……」

「《人魚》です」

「は?」

聞き違いかと思った。

鱗田は水を吸って重くなった革靴に閉口しながら「なんですって?」と聞き直す。足場は悪く、しかも和装だというのに、洗足は歩くのがずいぶん早い。

「《人魚》ですよ」

「それはつまり島の人魚伝説の……? 波口さん一族の中に犯人がいるという意味ですかね?」

「違います。そっちの人魚ではない。……ああ、見えてきた。あの建物だ」

もっと詳しい話を聞きたかったが、すでに目的地が見えていた。愛想のない、灰色の塊のような……コンクリート建築。自然豊かな島にはまったくそぐわない外観だ。どこその製薬会社が建てた出張所だとイクは話していたが、結局その薬草はたいした金を生まなかったらしい。

より近づいてみると、放置されたコンクリートの建造物には何カ所かの亀裂《きれつ》が見て取れた。エントランスに回る。積み上げられたブロックが崩れ、車寄せだった前庭は草が伸び放題だ。

廃墟《はいきょ》、という言葉を思い出す。

入り口はスチール引き戸になっていた。

鱗田は鍵《かぎ》の壊れた引き戸を開け、周辺を確認する。民間人である洗足を先に行かせるわけにはいかない。こんな場所に同行してもらっているだけで問題なのだ。鱗田自身、なんの武器も携帯しておらず、洗足を守れるかと問われたら自信はない。

「先生、私が中を見てきますんで……あっ、先生！」

鱗田の言葉が終わらないうちに、するりと脇を抜けて洗足が進んだ。止める間もなくそのまま中に入ってしまい、鱗田は慌てて追う。

「先生、だめですって」

「青目はあたしを殺しゃしませんよ。……今のところはね」

「私が先に行きますから！　先生！」

まったくもって人の言うことを聞かない男だ。鱗田の制止など一切聞かず、洗足はずんずんと進む。中に入って右手に事務スペース、その奥に応接室、左はトイレや給湯などの水回り……そして最奥にある【貯蔵室】というプレートのついた、スライド扉。

開いている。

隙間がある。ほんの三センチ。洗足は一度立ち止まった。数秒間扉を見つめ、すぐにまた歩き出す。迷いも躊躇《ためら》いもなかった。鱗田はただついていくしかできない。

貯蔵室内部に入る。

薄暗い空間は、思っていたより広かった。十畳程度はあるだろう。窓はない。電気が来ていないので、天井の蛍光灯もついていない。

それでも薄明かりがあるのは、侵入者が持ち込んだランタンのせいだ。災害用として用いられる事も多いＬＥＤランタンが、その周囲を照らし出している。

ふたり。

男が、ふたり。

ひとりはぐったりと座り込み、ひとりは立っている。立っている男の顔までは明かりがあまり届いていないが……鱗田にはわかった。当然、洗足もわかっただろう。

「お供はウロさんか」

低いが艶《つや》のある声が、貯蔵室の空気を揺らす。

「お気に入りの若造はどうした？」

「東京で留守番ですよ」

ごく冷静な態度で洗足が答える。

「ここにはふたりしか来ていないし、まだ捜査本部にも伝えていない。……君生さんを解放しなさい」

「俺はそんな約束したか？」

「もう彼は必要ないはずだ」

「それはまあ、そうだけどな」

男が――青目が靴先で、座り込んでいた男の脇腹を突く。軽く突いただけだが、男の身体はぐらりと傾き、ドサリと横倒れになった。

ランタンが男の顔を照らす。

憔悴《しょうすい》しきった顔はかろうじて目を開けていて、カサカサに乾いた唇が僅《わず》かに開いた。鱗田にはわかる。あれは『た』の形だ。たすけて、の『た』だ。

ズイと進んだ。

洗足を追い越し、青目に向かって真っ直ぐ歩いた。青目は大男だ。背丈は一九〇に近いし、実践的な筋肉で覆われている。小柄な鱗田など、ひと蹴《け》りで壁までふっ飛ぶだろう。それでも、ただ傍観しているという選択はなかった。

なぜなら鱗田は刑事であり、警察官であり、被害者がそこにいるからだ。

近づく鱗田を、青目は咎《とが》めなかった。ただ面白そうにニヤニヤと眺めているだけだ。鱗田は君生の前までたどり着き、コンクリートに膝《ひざ》をつけて「今野君生さんだね」と聞いた。かろうじて頷《うなず》いた君生の顔色はひどいもので、文字通りの土気色だ。両腕は背中側で粘着テープを使い拘束されている。足は自由なようだが……目をこらせば、乾いた血の跡がある。

「警察だ。立てるかい？」

「あはは、そりゃ無理だ」

嗤《わら》ったのは青目だ。心から楽しそうに相好を崩し「足首の腱《けん》を切ってある。散歩はちっときついだろう」と言った。いますぐにこの男を逮捕したい……いや、本音を言えば殴り飛ばしたい気持ちを押し殺し、鱗田は「そうかい」と答える。

「なら、俺がおぶって行くさ」

「ああ、そうだな。ここは携帯も通じないしな？　そうするしかない。さあ、君生さん頑張れよ。よかったなあ、こいつらが来てくれて」

青目は軽口を叩《たた》きながら君生を立たせ、その身体を鱗田に託した。

「誰も来ない可能性もあったんだぜ？　そしたらあんたは死んでた。本当に運がいい。きっと前世で行いがよかったんだな？」

ご機嫌な口ぶりに腸《はらわた》が煮えくりかえる。だが鱗田はなにも言わず、君生を抱えるようにして青目から離れた。君生の身体はぐったりとし、確かにひとりでは立っていることすら難しかった。早く医師に診せる必要があるのはわかっていたが、その前に鱗田は知るべきことがある。

「青目さんよ」

洗足の隣まで戻り、君生を一度座らせた。自分のコートを脱いで君生をくるむ。

「水希さんはどこにいる？」

鱗田の問いに、青目はニヤニヤしたまま答えない。

「水希さんをどこに隠した？」

再びの質問に、今度は「さあね」と返事をした。腕組みをし、コンクリートの壁に寄りかかって煙草を咥《くわ》える。電子ライターの明かりが青目の顔を照らした。高い鼻梁《びりょう》、強い眉《まゆ》、大きな目と厚い唇……この犯罪者は、つくづく日本人離れした美丈夫だ。

「それは俺の管轄じゃないからな。……ま、だいたいの予想はついてるが、あんたに教える義理はない」

「今言えば、裁判員の心証が多少マシになると思うがね」

「クク ッ。ウロさん、あんた面白いなあ……。俺を捕まえられると思ってるのか？　あんたたちが？　無能この上ない警察が？　よく考えてくれよ。あんたらになにができるっていうんだ。ここまでだって、伊織がいなけりゃたどり着けなかったはずだ」

紫煙を纏《まと》わせて嗤う青目の言葉は、間違ってはいない。今回の事件に関して言えば、警察はほとんど結果を出せていないのだ。容疑者を絞り込むことすらできず、被害者の兄が偽者だということも見抜けなかった。

「確かに……無能だなあ」

しみじみと口にして、鱗田は青目を見た。

「無能ついでに、もうひとつ聞いとこうか。青目さん、あんたいったい、なにがしたいんだね？」

言葉の駆け引きではない。これは鱗田の純粋な疑問だった。

「おかしな質問をする刑事だな」

珍しい動物でも見るような視線を向け、青目は答えた。

「俺はいたって単純な人間だぜ。いっそ純粋と言ってもいいくらいに。だから、したいことをしているだけだ。あんたの目の前で起きていることが、俺のしたいことだよ」

「そうかい？　だが拉致《らち》監禁が趣味ってわけじゃなかろうよ」

ランタンの灯りを見つめて、鱗田は続けた。

「今回の事件の主犯はあんたじゃあない。水希さんを誘拐したのは別の人間のはずだ。そしてそいつには動機があった。あんたはそいつを利用して、この事件の筋書きを作り、演出をした」

「百点だ、刑事さん。伊織が教えてくれたのか？」

「……あんたはなんのためにそんなことをする？」

「金さ。報酬がいいんだ」

するりと答えた青目に、鱗田は「嘘をつくな」と返した。

「あんたは金で動くタイプじゃあないよ」

クッ、と喉奥《のど》で青目が笑った。うまそうに煙草をふかし、その身体の周りを白くけぶらせる。その煙に紛れて消えてしまいそうな気がして、鱗田は目をこらした。

刑事なんて、因果な商売だ。

正義感だけで勤まるものではない。むしろ正義感が強いほど、現実を目の前にすれば心がポキンと折れてしまう。この世に正義なんてものは、実のところ少ない。正義であろうとする者、正義でいたいと願う者はいくらかいるが、それだって多いとは言えない。かといって悪人ばかりと嘆くつもりもないのだ。恐らく一番多いのは――どこかに正義があってほしいと願う、他力本願な者たちだろう。

鱗田にしたって似たようなものだ。正義漢などではない。むしろ、興味があるのは正義より悪だ。犯罪者のほうだ。

なぜ人はこんなにも悪になれるのか。

他者を騙《だま》せるのか。傷つけられるのか。殺せるのか。人間という動物だけが持つその悪意は、いったいどこから生まれるのか。尽きない興味だ。鱗田はそれが知りたいがゆえに、刑事を続けているような気がする。

「……くすんで、濁って、澱《よど》んだ目をしてるなあ、あんた」

半分になった煙草を咥えて、青目が薄く笑う。

「ちっともキラキラしてない。疲れ果てて、たいして人間になんか期待してない。そういうのは嫌いじゃないから教えてやるよ。俺がなにをしたいかって？　答はシンプルだ。俺には欲しいものがある。だがこっちが手を伸ばすほど、そいつは遠ざかる。逃げていく。ちっとも懐かない猫みたいなもんだ。だから俺は考えた。どうしたら、そいつは俺の近くに来るだろう？」

深く煙草を吸い込む。薄闇の中、赤が強く光る。

青目はもう鱗田を見てはいない。その視線が捉《とら》えているのは、無言のまま佇《たたず》む和装の男だ。

「利口な猫なんだ。俺の心を読みやがる。……もっとも、俺は隠し事をしない主義なんでね、読まれてもいっこうに構わないんだが」

チリチリと、紙の焼ける音がする。煙草はもう限界に近い。指に挟んでいて熱くないのかというほどに短くなっている。

「餌を出しても、石を投げても、こっちを見ない。昔は違ったんだがな……大人になってすっかり冷たくなった。けど、そいつの気を引く方法がひとつある。そいつに石を投げてもだめだが、ほかの猫をいじめると、そいつは俺を見るんだよ」

いやなにおいが漂ってきた。フィルターの溶けるにおいだ。それでも青目は煙草を離さない。指先は火傷《やけど》しそうだろうに、機嫌良く喋《しゃべ》り続ける。

「馬鹿な猫だろう？　そいつはいつも人のことを馬鹿だと言っているが、本当に馬鹿なのはそいつ自身なのさ。苛《いじ》められてる猫を放っておけない。だから俺の手に嚙《か》みつきに来る。それが楽しくてたまらない。隻眼の可愛い猫が、必死に俺に嚙みつくんだ」

喉を震わせて嗤い、青目はやっと煙草を捨てる。

……洗足は？　洗足はどんな顔をしているのだろう……だが、鱗田は隣を見ることができなかった。それはしてはいけないことのような気がして、動けない。

「ウロさん」

洗足が発した。いつも通りの落ち着いた声に聞こえたが、その内心まではわからない。

鱗田はただ「はい」と答えるだけだ。

「君生さんを連れていって下さい」

「はい。……ですが、先生は」

「そうそう、早く連れていったほうがいいぞ？　かなり衰弱してるし、脱水症状も起こしてる」

陽気と言ってもいい口調に苛《いら》ついたが、たしかに君生は一刻を争う状態だ。鱗田は立ち上がり、洗足の手を借りて君生を背負った。このまま十五分……いや、十分で集落に戻りたい。

「捜査本部と連絡が取れたら、すぐ波口重伸さんを保護するように言ってください」

「波口ですか？」

「説明している時間はありません。早く」

「わかりました。……先生、気をつけて下さい」

なにをどう気をつけろというのか、鱗田自身にもよくわからないままに口にした。

青目は洗足を傷つけるだろうか？

洗足を拉致してこのまま消えてしまう可能性は？

腕力で考えれば、洗足が青目に敵《かな》うはずもない。だが、鱗田がここに留《とど》まっていて出来ることはない。君生を連れ出し、一刻も早く携帯のつながる場所に出て、応援を要請する。それが鱗田のすべきことだ。

「気をつけてな、ウロさん」

昔からの馴染《なじ》みのように、青目が声を掛けてくる。

それに返事をすることなく、鱗田はずしりと重い一歩を踏み出した。

※

なんだろう、この感じは。

懇願めいた加南のメールを繰り返し読み返しながら、脇坂は考える。言葉で説明するのは難しいが、どうにもざわざわするのだ。胸がというより、全身がざわざわする。なにか見落としている気がする。気がついてないものがある気がする。

加南と水希の関係について、今一度考えてみた方がいいのではないか。

婚活を通じて知り合った、年の離れた友人同士。

まだ若い水希。

若く見えるものの、婚活をするにはぎりぎりの年齢である加南。

ふたりのあいだにあった友情。会話。感情。……加南に嫉妬《しっと》はなかったのか？　自分より若く、自分より男性に人気だった水希への嫉妬が。

ないわけがない。それは脇坂だって、とっくにわかっていた。

人は嫉妬する生き物だ。女も男も、その点は同じだ。嫉妬という感情は厄介で、コントロールが難しい。ことに若さへの嫉妬というのは、覆しようがない。たとえば金持ちへの嫉妬ならば、いつか自分もリッチになってやると頑張ることも可能だが……年齢ばかりはどうしようもないのだ。

そういえば加南は……よく言っていた。

誘拐された水希を心配し、水希がどんなにいい子だったかを脇坂に滔々《とうとう》と語る際に、繰り返していた。若いのに、しっかりした子。若いのに、気の利く子。若いのに、礼儀正しい子……。

脇坂のすぐ上の姉が、よく言っていたのを思い出す。『女友達をやたら褒める女は、いまいち信用できない』と。その意見を真に受けるわけではないけれど、嫉妬を隠す手段のひとつに、相手を褒めるというのは有効なはずだ。そうやって、自分の嫉妬を隠すのは、それが醜い感情だとわかっているからだ。隠して、蓋《ふた》をして、負の感情と向かい合うことを避け続けたら……いつかその感情は、爆発するのではないか？

「いや。だからって、誘拐はしないよ……」

自分に向かって、脇坂は呟《つぶや》く。

仮に、加南の中に燃えたぎる嫉妬心があったとしても、だ。水希を誘拐してどうする。怖がらせて、すっきりするか？　殺して胸がすくか？　多少気が済んだとしても、そのあと逮捕され、実名報道され、裁判にかけられて、懲役刑。人生は台無しだ。リスクが大きすぎる。まともな思考の持ち主ならば、誰だってわかることだ。

「……なんか、甘いの食べよう」

疲れているせいか、考えが極端な方向にいきすぎだ。力なく笑って立ち上がる。顔でも洗って、気分をしゃっきりさせよう。

一度外に出て、カフェまで行くのもいい。熱いラテにはちみつを追加し、脳に糖分を与えようか。ドーナツを一緒に買うのもいいなと思いながら、脇坂はコートを手にして会議室を出た。

「うわっ」

どやどやと走り出てきた一団に巻き込まれる。

捜査本部の面々だ。所轄刑事とぶつかり、脇坂はよろけながら廊下の端に避難する。

いったい何事かと思っていると、玖島が硬い表情で寄ってきた。

「玖島さ……」

「行くぞ。被害者の祖父宅に不審者が侵入した」

「え？　波口さんですか？」

脇坂も慌てて玖島についていった。階段を駆け下りながら経緯を聞く。

「すでに地域課の巡査が向かっているが、水希さんの事件に関連しているかもしれない。勝手口の鍵《かぎ》をこじ開けた形跡があるようだ」

「通報は波口さん本人からですか？」

「いや、それが……わっ」

階段を下りきったところで、脇坂と玖島に突進してきた者がいた。

玖島は慌てて避《よ》けたが、脇坂はまともにぶつかってしまう。玖島のほうを見ていたので、気づくのが遅かったのだ。

ぶつかってきた者は脇坂より小柄だったが、かなりの勢いがあったので、そのまま尻《しり》餅《もち》をつきながら相手を受け止める形になった。

「脇坂さん……！」

腕の中で脇坂を見上げる顔を確認し、ぎくりとした。

「脇坂さん、いた。よかった。わたし、どうしても、謝りたくて」

「か……加南さ……」

「脇坂、なにしてる！」

玖島はもう署を出ようとしていた。呼ぶ声に応じたかったのだが、加南ががっしりとしがみついて離れない。自分の背中に加南の指が食い込むのを感じながら、脇坂は「すぐに追いかけますから！」と叫ぶしかない。

「脇坂さん、わたし、謝りたくて」

「か、加南さん。落ち着いて。あの、とにかく、離して下さい」

「わたし、どうしても、謝りたくて」

傷のついたＣＤみたいにリピートしている。まずい。これはかなりやばそうだ。ぎりぎりと背中に食い込む指が痛い。立哨《りっしょう》していた署員が駆けつけて「離れなさい！」と加南を威嚇する。脇坂は「待って」と署員を制し、「僕が言い聞かせる。刺激しないで」と続けた。怖がらせたら逆効果だ。今の加南はどう見ても尋常ではない。しがみついたまま顔を伏せ、ガクガクと震えている。

「加南さん」

静かに呼んでみた。加南の返事はない。

「加南さん、大丈夫ですか。膝《ひざ》、痛くないですか」

脇坂は尻餅をついたわけだが、加南は膝を床に打ちつけたはずだ。もっとも、今の状態では痛みも知覚できていないかもしれない。

「わた……謝り、たくて……」

「うん。わかりました。謝りにきてくれたんですね」

ぽんぽん、と軽く加南の背中を叩《たた》いた。そして立番に、唇の動きで（誰か女性を呼んできて）と頼む。こんな時は、威圧感の少ない女性警察官に力を貸してもらったほうがいい。

なんとか、加南の指が離れた。

だがまだ深く俯《うつむ》いたまま、立ち上がろうとはしない。

改めて加南の様子を観察すると、毛玉の多いセーターに、フリース素材のスカート。もこもこした靴下にサンダル履きだ。コートは着ておらず、髪の毛は後ろで括《くく》っただけ。顔はよく見えないが、化粧もしていないらしい。

「加南さん、ここは寒いから、暖かい部屋に行きませんか？」

「…………は……」

「え？」

「エリーザベト……」

「なんです？」

　ぶわ、といきなり加南の顔が上がる。

「……っ」

　脇坂は戦慄《せんりつ》した。正直、ぶつかってこられた時よりも驚いた。土色の肌、こけた頬、ガサガサに荒れた唇——落ちくぼんだ目だけが、異様な光を湛《たた》えている。パーティであった時とは別人だ。

「私には価値がない」

　目を見開いたまま、加南は言った。脇坂の背中から離れた手は、今は袖《そで》をがっちりと摑《つか》んでいる。

「か、加南さん？」

「私には価値がない」

　妙にはっきりと、滑舌よく、平坦《へいたん》な口調で繰り返す。その文章だけをインプットされたロボットのように。

「私には価値がない。若くないから。私には価値がない」

「なに言って……」

「そんなことはないとあなたは言うかもしれないけど、でも現実がすべてを物語っている。若くて可愛い女の子は価値があるし、そんなに可愛くなくても若い子は価値がある。

私は努力したけれど、いろいろ努力したけれど、若く見えるように頑張ったけれど、でもやっぱりだめだったの。頑張るほどだめだったの。頑張ってる感じがウザいとさえ言われたの。前の病院では恋人を若い子に取られて、居場所がなくなった。今の病院も若くて綺麗《きれい》な子ばかりで、どんどん肩身が狭くなるの。私はどうしたらいいんだろう。これ以上どうしたらいいんだろう。自然にしてればいいとか言う人もいるけれど、それは無責任な意見だと思うの。自然にしていたらどんどん年を取るだけでしょ。どんどん老けていくだけでしょ。見た目じゃなくて中身が大事とか言うけど。中身も年取るんだもの。細胞が老化するから顔が老けるんだもの。そして価値がなくなるの。私に価値がなくなるの。私に価値が……」

瞬《まばた》きすらせずにブツブツと喋《しゃべ》り続ける加南に、脇坂は言葉もなく固まっていた。

「価値が、ない」

ヒクッ、と加南の身体が痙攣《けいれん》した。

スーツの袖に食い込んでいた指がぽとりと落ちる。その瞬間、脇坂はやっといくらかの冷静さを取り戻し、改めて加南の顔を見た。散瞳《さんどう》が確認できる。薬物の使用が考えられた。脱力した加南の手に触れてみると、怖いほどに冷たい。

床に落ちていた自分のコートを広げ、バサリと加南を包む。

加南がひとつだけ瞬きをした。なにか不思議なことでも起きたかのように。

「加南さん」

なにを言えばいいのかよくわからなかった。言ったところで、なかば我を失っている加南に届くのかもわからない。それでも脇坂は必死に言葉を探した。なんとか、加南を説得したかった。

「価値なんてどうでもいいんです」

着せかけたコートの前立てを寄せ、加南を包んで言った。

「あなたが苦しいのは、あなたに価値がないからじゃない。あなたが、自分を嫌いだからだ」

ぱちり、とまた瞬きをする。そして「ええ、きらい」と答えた。脇坂の言葉は、かろうじて通じているようだった。

「だって、私は若くないから」

「どうしてそんなに若さにこだわるんです？　すてきに年齢を重ねている人だって、たくさんいるじゃないですか！」

「そんなのはごく一部よ。だからこそ、雑誌やテレビがちやほやする」

「でも、人は誰だって、年を取るんです。時間を止めることはできない」

「知ってる。だから苦しいの。私はそんなに欲張りじゃないわ。八百比丘尼になりたいとは思わない。エリーザベト・バートリでいい。死にたくないなんて言わない、ただ私の時計を少しだけゆっくりに……見つかるまで……私を愛してくれる人が、私がおばあちゃんになっても愛してくれる人が見つかるまで……」

加南が微笑んだ。

脇坂を見て……いや、脇坂の向こうにいる、彼女を愛してくれる人の幻を見て微笑んだ。土のような顔色のままで。

ああ、そうか。そうなのか。脇坂は気がつく。

彼女は若くありたいのではない。彼女が欲しいのは若さなんかじゃない。

彼女は、愛されたいのだ。

それだけなんだ。

「脇坂さん」

所轄の女性職員が来てくれた。ふっくらと優しげな風貌《ふうぼう》で、確か生活安全課に所属している水戸部《みとべ》という人だ。水戸部は優しく加南に声を掛け、ゆっくりと立ち上がらせる。加南はそれに従ったが、右手だけは脇坂の袖を摑み続けている。迷子のような手を脇坂は無理に振りほどかず、加南に向き合った。

「……ごめんなさい…………」

蚊の鳴くような声がした。脇坂は微笑みを作り「大丈夫です」と返す。まだ心配ではあるが、今は加南を水戸部に託し、玖島たちを追いかけなければならない。波口宅はどうなっているのだろうか。

「加南さん、僕は行きますね。仕事が……」

「ごめんなさい、脇坂さん、ごめんな……」

加南の言葉が途切れる。

グブッ、と妙な音がして、ビクリと胸郭が上がった。あっ、と声を上げたのは水戸部だ。脇坂もわかっていた。次になにが起きるかを。だが、動くのが遅かった。

噴出された吐《と》瀉《しゃ》物が脇坂に襲いかかってくる。

咄嗟《とっさ》に右手を翳《かざ》したものの、顔と髪にびしゃびしゃと生暖かい液体がかかるのがわかる。これは参ったなと、独特の酸臭に辟易《へきえき》しながら、一歩後退した。やがて加南の嘔吐《おうと》が治まり、脇坂は反射的に閉じていた目を開けた。

「……え？」

自分からぼたぼたと落ちていく液体を手のひらで受け止め、絶句する。

赤い。

鮮血の色だった。

※

ロウソクが揺れる。炎が揺れる。

チラチラ、チラチラ。

なにか変。どこか不自然。炎に指で触れてみる。火傷《やけど》してもいいやと触れてみる。ちっとも熱くはなくて、揺れが止まった。

なんだ、偽物。チラチラ動く明かりは電池の力。

「よくできてますでしょう?」

グラスに水を注ぎながら、店員さんが言う。きれいな女の人。二十八歳くらい。

「以前は本物のロウソクを置いていたんですが、やはり危ないので」

そうなんですか、と私は答える。

隠れ家みたいな、小さなビストロ。原色の悪趣味なクリスマス飾りはなくて、入り口にシックなリースだけがかかっていた。とてもいい雰囲気のお店で、今夜はもちろん満席になっている。

「お連れ様がいらっしゃるまで、食前酒でもお飲みになりますか?」

ありがとう、でももう少し待ってみます。そう答えると、にっこり笑って「そうですね」と頷《うなず》いてくれる。クリスマスなのに、お仕事大変ですね。

「いえいえ、慣れてますから。毎年のことです」

私も本当は仕事だったんです。でも、無理言ってシフトを変えてもらって……。

「それはよかったですね！」

後輩が、今度絶対に奢《おご》って下さいよって。

「まあ、ではその時にもうちにいらしてください。ふふ」

そうします、と私も笑った。

笑いながら、時間を気にしていた。もう十五分過ぎてる。約束の十分前についたから、二十五分ひとりで座ってることになる。ほかのテーブルは恋人同士や友人同士が、楽しい食事を始めていた。みんな笑顔で、嬉《うれ》しそう。

店員さんが行ってしまい、私はそっと睫《まつげ》に触れる。

昨日エクステをしてきた。あんまり盛るとわざとらしいから、一番細いタイプを四十本ずつ。着ているワンピースは、先週買ったばかりのパステルイエロー。パールアクセと相性がいい。

買い物に水希ちゃんは誘わなかった。彼女といると、あんまり楽しくなくなってしまうから。いい子なんだけどね。若いのにしっかりしてて……ただ、どんなに仲良くなっても、あんまり言われたくないこともあるから。

……遅いな。

なにかあったのかしら。

クリスマスプレゼント気に入ってくれるといいんだけど。鮮やかなオレンジのマフラーは甲藤さんに似合うと思う。あんまり高いもの贈ると、気を遣わせるからそこそこの値段にしておいた。

あ、クリスマスソング。

これってなんだっけ。賛美歌。ええと、荒れ野の果てに？　グロォォォォリア、っていうあれ。もちろん意味はぜんぜんわからない。

遅いなあ。テーブルに出したままの携帯電話をいじる。メール、入ってない。事故とかじゃないよね？　心配になってしまう。

この一曲を聴き終わったら、電話してみようかな。

七

届かない。

波の音は、ここまでは届かない。耳を澄ましても聞こえない。

コンクリートは冷たく、クラックには雨漏りの染みがある。ランタンが消え、入り口が閉ざされればのし掛かるほどに重い闇に包まれるだろう。なにも見えず、なにも聞こえず、排泄《はいせつ》物の悪臭と絶望のにおいだけが残る空間だ。こんなところに半月あまりも監禁されていた君生の心身はどれほど疲弊し、傷ついたことだろうか。

「生きててよかったな？」

伊織の心を読んだかのように、青目が言う。薄笑いはなく、肩を竦《すく》めるその仕草は、子供が悪戯《いたずら》の言い訳でもするかのようだった。

「おまえが来なかったら、さっさと殺して海に捨てようと思ってたんだ」

ゴミの不法投棄より気楽な口調だった。実際、青目にとってはその程度なのだろう。いらなくなったら捨てる。邪魔になったら殺す。多少面倒くさい仕事であり、そこに楽しみはない。殺す対象が女ではないからだ。

否、喰《く》う対象と言ったほうがいいだろうか。

「男は、不味《まず》いからな」

困ったもんだ、とでも言いたげに、首を横に振る。

「おまえだけだよ、伊織。喰ったら美味いだろうと思わせる男は」

「……礼でも言えと？」

「まさか。気を遣わないでくれ。長いつきあいじゃないか」

軽口とともに一歩を踏み出した青目に「近寄るな」と言い放つ。青目は素直に足を止め、唇を歪《ゆが》めて笑う。

「俺が怖いのか？」

「彼になにをした」

視線を逸《そ》らさずに聞いた。

獣の喧嘩《けんか》と同じだ。先に目を逸らしたほうが負ける。相手に呑《の》まれる。

「そうか。怖いのか。……おまえひとりだもんな？　眷属《けんぞく》もいないし、若造の刑事もいない。頼りになる鱗田も行っちまった。だからおまえは、怖いんだ」

「おまえは彼に……余内洋さんに、なにをした？」

「伊織。おまえは怖がってる」

青目は伊織の問いを無視し続ける。

「おまえはひとりになると、弱い」

できることなら耳を塞《ふさ》ぎたかった。青目の言葉はあながち間違ってはいないからだ。伊織は弱い。

ひとりになった時に弱い。

この袖《そで》に縋《すが》る者たちが……縋りついて、重しになって、伊織を真っ当な世界に留《とど》めてくれる者たちがいないと――。

「おまえは俺を許したくなる」

ざり、とコンクリートの床を擦《す》る音がした。

青目が歩み寄ってくる。来るなと言っても無駄だろう。よくない状況だ。伊織はひとりで、ここは妖琦庵ではない。自分のテリトリーではない。暗く、澱《よど》んだ、青目に相応《ふさわ》しい空間だ。このままでは引きずられる。

袂《たもと》に手をしまう。

そこにある柔らかな塊をギュッと握る。か弱い魂のような、それを。

「なぜ彼を選んだ」

間近な青目を睨《にら》んで聞く。青目は僅《わず》かに瞳《ひとみ》を揺らめかせ「さあ？」と呟《つぶや》いた。はぐらかしているのではなく、本人にもよくわかっていないようだった。

「たまたまなんだろう。ふだんは男になんか同情しないんだけどな。あいつはなんだか可哀想だったんだよ。もう時間がないって、哀れな姿でな」

だから手を貸してやった……青目は微笑んで説明する。

「計画を練ってるうちに、少し楽しくなってきてな？　とくにキャスティングの作業はなかなか面白い。ぴったりの役者が見つかると、わくわくしてくる。言ってみれば、俺は……おまえのためだけに脚本を書いているようなもんだよ、伊織」

伊織のために。

たったひとりのために。

ならば……伊織がいなければ、この脚本は上演されなかったのか。事件は発生しなかったのか。被害者は……いや加害者すら、出ずにすんだのか？

「ああ、そんな顔をするな。おまえは本当に優しくて弱い男だな。自分のせいだと思ってるのか？　それはそうかもしれないが、そんなことは気にしなくてもいい。おまえがいなくても、あるいは俺がいなくても、人は結局人を殺すものなんだ。どうしても、そうなってるんだ。それは伊織、おまえのせいじゃないだろ？」

聞くな。

こいつの戯《ざ》れ事を聞くな。惑わされるな。

「そりゃあ、世の中には愛ってやつもあるんだろう。なら、同じだけの憎しみがあるはずなんだ。均衡ってやつだ。神様がそうしてる。クク」

自分の台詞《せりふ》に自分で笑い、青目は肩を揺らす。

「今頃、余内洋はやっと目的を達してる。復讐《ふくしゅう》してる。殺してる」

歌うように言った。

「あの婆さんに会ったろう？　《濡女子》に。そして聞いたはずだ。この島の昔話……気の毒な人魚さんの話を。その女がどう死んだかも」

「……聞いた」

溺《おぼ》れ死んだ、と。

そしてその海女《あま》には、息子がひとりいたのだと。

「間に合わなかったなぁ、今回は」

とても嬉《うれ》しそうな声が、暗いコンクリートの空間に響く。

そろそろ限界だ。早くここから出たい。伊織は閉所は問題ないが、無機質な空間が苦手だった。木や、草や、土や風を感じていないと息苦しさを覚える。

「照子の時は惜しいところで邪魔をされた。俺はちょっとばかりおまえを恨んだぜ、伊織。……だが今回は、おまえたちの負けだ」

「あたしは、おまえと勝負なんかしてませんよ」

「なら俺と警察の勝負でもいい。鱗田が集落に戻って、連絡を入れたところで間に合わない。惜しいところで間に合わない。そういう脚本にしてあるからだ。……どうした、伊織。顔色が悪い」

青目が甘ったるい声を出した。

右手が伸びてきて、伊織の頰に触れようとする。それを避《よ》けて、伊織は初めて身体を引いた。そのまくるりと踵《きびす》を返し、建物の出口へと向かう。

「伊織」

青目がついてくる。

「伊織、俺の脚本は気に入ってくれたか？　ひとつ残念なのはクライマックスシーンを見せてやれないことだ。たぶん今頃真っ最中だろう。なあ、余内洋はどうやって波口を殺してると思う？　母親を殺した男に、どんな罰を与えてるんだろうな？」

返事はせず、出口に向かった。

「伊織」

青目が呼ぶ。呼ばれるたびに、呪文をかけられているような気分になる。声が身体に絡みつき、見えない蛇のように締め上げてくる。

早く風に当たりたい。

四角く切り取られたような出口の光が、やけに遠く感じられた。

※

水。

水というのは。

こんなにも身体の中に入り込むものだったか。口から、鼻から、耳から。驚愕《きょうがく》に刮目《かつもく》した目からも、強引に侵入してくるようではないか。

藻掻《もが》く。暴れる。抵抗する。

いや、しているつもりになっているだけだった。実際には、枯れ枝のような腕はじたばたと無意味な動きを繰り返しているに過ぎない。

ここで死ぬのか。

こんな小さな風呂桶《ふろおけ》で死ぬのか。大きな海のそばで、漁師として育った自分が。

ふいに身体が引き上げられた。グボクボッという音がして、水を吐いた。苦しい。強く咳《せ》き込みたいがその力がもうない。沈んで、苦しんで、引き上げられて。何回目なのかもわからない。

「苦しいか？」

あたりまえのことを聞かれたが、頷《うなず》く気力も残っていない。

「苦しいだろう？　母さんも苦しかった。あんたに首を絞められて、苦しかった」

なんなんだ。

なんの話だ。わからない。

いや、わかってはいる。私が首を絞めて殺した女は……たしかにいる。昔の話だ。昔だからといって、許されるとは思っていない。

でも、おまえは、なんなんだ。誰なんだ。

母さん？

そんな馬鹿な。

「なんで殺したんだ」

質問と同時に、また沈められる。

風呂桶の底に押しつけられる。水の向こうから声がする。

「なんで殺した。母さんはあんたの言うこと聞いてたじゃないか。呼び出されたら、いつも行ってたじゃないか。あんた母さんを好きにしてたんだろ？　それを隠してもいなかった。島の人間はみんな知ってた。いつも俺は言われてたよ、海女の息子やろ、あの阿婆擦《あばずれ》んとこの子やろ、一緒に遊んだらいけん、近寄ったらいけん……」

ああ、そうだとも。

女ひとり子供を抱えて、海女で稼いで生きて行こうと思ったら、網元に逆らえるはずもない。けれど無理やりではなかった。暴力をふるったりもしていない。あの女だって、承知という顔で笑って脱いだ。

きれいな女だった。

ふくよかで、温かく、黒髪からは潮のにおいがして……本物の人魚のようだった。だとしたら、《人魚》の一族である網元と交わるのは、当然のことだとすら思った。夢中だった。本気で娶《めと》りたいと思った。だからそう言った。

あの女は笑った。

——あはははは。なにをじゃらじゃらと。いけんいけん。網元さん、おかみさんおるやろうが。あはははは。

笑い飛ばされて、カッときた。殴ってもまだ笑っていたから……髪を摑《つか》んで、馬乗りになって……酒も入っていた。笑うなと言いながら、首に手をかけた。脅すだけのつもりだったのに、あの女が笑いやまないから……。

ああ、水が。

身体中に入ってくる。カルキのにおいのする水がヒリヒリと入ってくる。

苦しくて痛い。もういやだ。早く終わらせてくれ。もう終わらせてくれ。頼むから……終わらせてくれ。

「まだだ。まだ死ぬな、網元さん」

ざぶんと、また引き上げられる。

肺に空気が入る。絶望と一緒に入る。

霞《かす》む視界に、男が映っている。誰だ。誰なんだこの男は。彼女のことを母さんと言っているけれど、おかしい。あの時の息子なら、こんなに若いはずがない。もう五十近くになってるはずじゃないか。

「自分が死ぬより、つらいことがある」

「……っ、げほっ……げえっ……」

「自分の肉親が死ぬ方がつらい」

「……な……なっ……」

「可愛い孫娘。……《人魚》なんだろう？」

冷え切っていたはずの身体に、ぶわりと熱が戻る。

無我夢中で腕を動かし、男に縋《すが》りつく。言葉を出そうとしたら、先に水を吐いた。そんなことはどうでもよかった。叫んだ。実際は、掠《かす》れた声しか出なかったけれど。

「みず、き」

「そう。水希ちゃん」

「あの子は、関係な……」

「うん。関係ないな」

「関係な……ゆる……」

許してやってくれ。帰してやってくれ。

私はこのまま死んでいいから、まだ若いあの子は。

「でもあんたは、俺と同じ目に遭わなきゃいけないんだよ。俺は母親を殺されたんだから、あんたは孫を殺される。もちろん、あんたも殺すよ。生きてたってつらいだろうから、ちゃんと殺してやる。そのあとで、俺もすぐ死ぬ。これできれいに終わるんだ」

「待って、くれ……！　だめだ、水希は、水希はもう、唯一の」

「俺にも母親だけだった」

微笑みながら、男は言う。

そしてまた沈む。最後の力を振り絞って藻掻く。あの女は私が殺した。私が首を絞めて殺した。そして海に捨てて、溺死《できし》ということにした。

「駐在だった孝も殺した。遺体の首を見たくせに……あんたに阿《おもね》って、事故にした。そんなの、許しちゃいけないよな？」

時々顔が水から出た。風呂桶の角に強《したた》かに頭をぶつけた。けれど痛みを感じているひまはない。

「吉市は俺に教えてくれた。ぜんぶ喋《しゃべ》ってくれた。だから、殺した。あんたで最後だ。これでやっと終わる。やっと……」

わかった。いい、私を殺せ。私だけ殺してくれ。

私は百度殺されても構わないから、水希だけは助けてやってくれ。

ひどく暴れながら、そう叫んだ。

男の腕に噛《か》みついた。ボロボロの汚い皮膚だった。男は呻《うめ》きながら私を引きはがした。腕からは少しだけ血が流れていた。男はかなり疲れて、ぜいぜい言っていた。それでも私よりは力がある。

「そんなに暴れるな。たぶん、もう――あの子は死んでるよ」

今度こそ、私は沈められた。

絶望の淵《ふち》に。

※

風が吹く。

波の音を運んでくる。

髪がひどく乱されている。だがそれすらも今は気にならない。顔を上げて曇天を仰ぐと、白いものが風に流されていた。

「雪か。こっちも降るんだな」

煙草を咥《くわ》えて青目が言う。

「雪はともかく、風が強くて参るな。くそ、点《つ》けにくい」

ライターの火が安定しないようだ。風に背を向けて立ち、煙草周りを手で覆う。来た時よりも風が強くなっていた。今夜、海は荒れるのだろうか。

「伊織、寒くないか？」

煙草に火が点《とも》り、青目は伊織を見た。

「おまえは昔から寒がりだからな。一度炬燵《こたつ》に入るとなかなか出てこなくて、よく叱られてたじゃないか」

わざとらしい昔話に眉《まゆ》を寄せた。青目の吐く白い煙が伊織に届く。ちょうど風が渦巻いて、煙が伊織の周囲を一周したのち、かき消えた。

「メールで出したクイズを覚えてるか？」

「……人魚を喰《く》うのは人。では人を喰うのは」

「答は？」

「《鬼》……脇坂くんですら、正解を出していた」

「簡単な問題でよかったんだよ。おまえへのメッセージだからな、あれは。脇坂はよく働いてくれた。面白いように、俺の予想のままに動いた。クク、いいパシリだ」

今日の青目はよく笑う。

なにもかもが自分の思惑どおりに動いて気分がいいのだ。

「おまえは俺に導かれて、ここにいる。携帯は繋《つな》がらない。鱗田はようやく集落についた頃かな？　だが間に合わない。のろまな警察が見つけるのは、波口の死体だ。たぶん場所は風呂場《ふろば》だろ。沈めて殺すはずだ。洋は優しい男でな、血が嫌いなんだよ。ああ。本当に残念だったなあ、伊織」

風がふとおさまる。

忘れ物を思い出し、玄関前で立ち尽くした人のように止まる。翻弄《ほんろう》されていた雪が重力を思い出し、ゆっくりと落ちてくる。

「おまえがもう少し早く、偽の君生に気がついていればな？」

ひとひらの雪が、ブーツの爪先に落ちた。

それが音もなく溶け、水滴になって流れ落ちる様子を見守ってから、伊織はゆっくりと顔を上げる。乱れていた前髪を右手でひと撫《な》でし、整えた。

「あんまり見くびらないでほしいね」

ひたり、と青目を見る。

「確信はなかったにしろ、疑念は抱いてましたよ」

「珍しいな。負け惜しみか？」

青目もまた、真っ直ぐに伊織を見ていた。

「だが疑念の抱きようもないだろ。おまえは洋に一度も会ってない」

「ああ。会ってない。避けられてたから」

「いくらおまえが《サトリ》だろうと、会ってもない人間の嘘を見破れるわけがないさ。たとえその左目が封じられてなくても無理だ」

「そういう問題じゃない。手袋だ」

「……なんだって？」

ゴゥ、と空のどこかで音がした。

風がまた強くなる。コートの裾《すそ》がバサバサ騒ぎ、頰に雪がぶつかる。けれどすぐ溶ける。ひんやりした伊織の頰であろうと、体温はあるのだ。生きている限りは。

「あの使えないウスラバカの新米刑事が、間違って持ってきたんですよ。うちに。……この手袋をね」

インバネスの内側からグレーの手袋を取り出す。怪訝《けげん》に見ている青目の前で、左手に嵌《は》めてみた。中には薄い綿手袋が入っている。ウール生地はゴワゴワしていて、洗濯頻度の高さが窺《うかが》えた。

「……こうして、外すと」

嵌めた手袋をすぐ外す。至近距離でないとわからない程度の、白っぽい粉や切片がパラパラとこぼれ落ちる。

「荒れて剝《は》がれた皮膚のかけらだ。手袋はひどい手荒れを隠すためだが、綿手袋の白は目立ちすぎる。だからその上にウールの手袋を嵌めていたんだろう。冬場ならばそれで自然に見えるからね」

海のそばでないと、暮らせない者たち。

乾燥、皮膚疾患、鱗屑《りんせつ》、エクゼマ・クラックル。鱗のように、剝がれ落ちる皮膚。

「脇坂くんは、まったく無意識のうちに、あたしのもとへヒントを運んで来た。だからあたしは推測することができた。それでもあたしは、この島に来ないわけにはいかなかった。おまえがここで、本物の君生さんを捕らえているだろうこともまた、予測できましたから」

「はっ」

青目が笑いと、煙草の煙を吹き出す。

「わりと侮れない馬鹿だな、あれは」

「運も刑事の才能のうちだと、以前ウロさんが言ってましたよ」

「それで？　おまえはどんな布石を打った？」

手袋を再びポケットにしまい、伊織は歩き出した。青目に向かってだ。

風が髪を後ろに流していく。

額がすべて出て、引き攣《つ》れた左目にも雪が当たる。何度も、何度も。

隆起した縫い目の上で溶けて流れる。開かない目が泣いているかのように。

あと二歩でぶつかる位置で、伊織は止まった。

「あたしには優秀な家令がいてね」

青目はもう笑っていない。

口の中にできものを見つけたような、不快そうな顔をしていた。

「場合によっては警察を使うようにと、言いつけてから来ました。今頃、波口さんの家を取り囲んでいるでしょう」

「……おまえはいいのか、それで」

侮蔑《ぶべつ》の色を浮かべて、青目が言う。

「女を絞め殺した波口は助かり、母親の復讐《ふくしゅう》をしようとした男は捕まる。いや……死ぬかもしれないな、自分の目的が達せられないと知ったら、あいつはきっと死ぬ。絶望のうちに死ぬ。いいのか、それで」

「いい悪いの問題ではない」

「おまえが、余内洋を殺すんだ。それでいいのか？」

※

「なんか物音したぜ？　いいのかよ？」

「…………」

「ケーサツ待ってるヒマあんの？　ジイサン、もうくたばってるんじゃねえのか？」

「…………」

「おい。夷さん」

「黙っててくれないか。考えてるんだ」

まったくなんでこんな男と一緒なのか……波口家の勝手口前で、芳彦は眉間《みけん》に皺《しわ》を刻んでいた。

ちょうど芳彦が洗足家を出るところで現れ、鼻をひくひくさせたかと思うと、遠足前の子供みたいなワクワク顔になり、強引についてきてしまったのだ。おそらくは、芳彦から滲《にじ》み出る緊張感を……厳密にいえば、緊張のためにうっすらとかいている汗のにおいを嗅《か》ぎ取り、これはなにか起きると判断したのだろう。

きつく言って、追い払うことも可能だった。芳彦がそうしなかったのは、心のどこかで『もしかしたら役に立つかも』と思ったからだ。甲藤は頭は悪いが、腕っ節は強い。もし警察が間にあわなかった場合、芳彦は殺人犯と対峙《たいじ》することになるのだし、その時に使えるのではないか……と頭を掠《かす》めてしまったのだ。

だが間違いだった。こんなにうるさく落ち着きのない男など、連れてくるべきじゃなかった。むしろ邪魔である。

「おい。マジやばいって。なんか水音聞こえる」

耳の先をピクリと動かして甲藤が言う。

芳彦にもその音は聞こえていた。跳ねる水のにおいもだ。匿名で一一〇番したのは五分前。あと五分で警察が駆けつけたとしても、間に合わないかもしれない。

——あたしの予想が見当違いならいいんだが……。

慌ただしく竜女島に向かう前、伊織は言っていた。

——もし、当たってしまった場合は、警察に連絡しなさい。警察が間に合いそうになかったら、そのときの判断はおまえに任せるよ。

信頼されているからこその、言葉だ。

ある意味、困ったものである。本来なら芳彦は、伊織を守る者だ。伊織だけを守っていればいい。ほかの揉《も》め事《ごと》に首を突っ込む気はないのだが……主《あるじ》にあんな信頼を寄せられては、ここで傍観しているわけにもいかない。

「私が先に入る」

芳彦は言った。甲藤が「やんのか？」と目を輝かせた。

「きみは退路を塞《ふさ》げ。相手が凶器を持っていたら深追いするなよ」

「俺が負けるわけねーじゃん」

自信満々の発言と同時に、おそらく無意識にだろうが、革ブルゾンの胸あたりをポンと叩《たた》いた。芳彦は「おい」と甲藤の腕を摑《つか》んで引き寄せる。

「なんだよ？」

「真っ直ぐ立て」

「え？」

「気をつけ！」

中に聞こえないように、だが鋭く言うと、甲藤は反射的にピッと真っ直ぐ立つ。甲藤は伊織を主としたいらしく、芳彦はその家令なのだから、一応、自分より上位者と見ているのだろう。

革ブルゾンの内ポケットを探る。案の定、飛び出しナイフが出てきた。

「……おい」

「あ、それセミオートなんだ。銃刀法引っかからないはずだぜ？」

「これは預かっておく」

「えぇぇ」

情けなく顔を歪《ゆが》めた甲藤を置いて、芳彦は屋内に入る。

勝手口の鍵《かぎ》は壊され、開いていた。反響音と水音から、浴室でなにか起きているのはわかっている。気配を殺して台所へ進み、開いたままの引き戸を見つけた。洗濯機が見える。脱衣所だ。磨《す》りガラスの向こうに、人の影。

そこから先は一気に進んだ。

浴室に飛び入り、浴槽に沈められている老人と、沈めている男の背中を見つける。

男が芳彦に振り向き、目を見開き、だが逃げようとはしなかった。すぐに顔を戻し、老人をより深く沈める。逃げるより、殺すことを優先したのだ。

「やめろ！」

男を引きはがす。

腕力的には容易なはずだったが、場所が狭い。足を踏ん張ることが難しく、相手も必死だ。服を摑んで引っ張ったが、布地が破れてしまう。風呂《ふろ》桶《おけ》の老人はもう動いていない。まずい。

芳彦は、背後から男の顔を摑んだ。

鼻に人差し指を引っかけるようにし、頰にも強く指を食い込ませて横方向に強く引っ張る。人は顔への攻撃に弱い。男の身体から力が逃げる。その瞬間を見逃さず、思い切り後ろに体重を掛けた。

「がっ！」

悲鳴。

そして背中への衝撃。

なんとか引き剝がせたものの、芳彦は男を背中から抱えたまま後ろに転倒していた。背中が痛むのは、半端に開いていた浴室の扉に強《したた》かに打ちつけたからだ。

「……………っ」

その痛みで、つかのま力が緩んでしまった。

その隙に男は立ち上がり、逃げようとする。

芳彦もすぐに立ち上がった。だが、風呂桶の老人が沈んだままなのに気づく。救命が先だ。風呂桶から老人を抱えて出しながら、「甲藤！」と叫んだ。

「逃げたぞ！　追え！」

※

「おまえが余内洋を殺すんだ。それでいいのか？」

風はやまない。

雪もやまない。

伊織は青目に向かって、淡々と返す。

「そういう言い回しをあたしに使っても無駄ですよ。あたしが殺すわけじゃない。彼が自分で選んだ結末だ」

「へえ、そうか。たいしたもんだな。すっかり警察の便利屋だ。さしずめおまえの家令は警察の犬ならぬ、警察の狐か？」

嘲笑《あざわら》う青目を、伊織は無視した。警察に尻尾《しっぽ》を振る趣味などないが、事件が起きているのならば通報するのが義務というものだ。夷にはそれを命じたにすぎない。

「可哀想な男の復讐《ふくしゅう》は失敗か」

「この国では個人の復讐は認められていない」

「警察と司法の手に委《ゆだ》ねろと？　は、はは……おまえ、自分が当事者でも、したり顔でそう言うのか？」

「いいや」

即答し、青目を見た。

青目の咥《くわ》えている煙草を取り、自分で吸いかけ、寸前でやめる。

かなり昔の話だが、煙管《キセル》を嗜《たしな》んでいた頃があった。やめたのは健康のためだ。自分の
ではなく、自分と暮らす者たちの。

「あたしの身内に危害を加える者がいたら——法など無視して制裁するよ。容赦なく」

青目の煙草を消す。先端近くを指先で揉んで、火種を落としてしまう。残った吸い殻
を青目に差し出すと、肩を竦《すく》めて受け取った。

「そのあとで、私自身が甘んじて罰を受けよう」

「……都合がいいな、伊織。あいつだって同じことをしただけだ」

「そうだな」

むしろ、余内洋は伊織などより優しい男なのかもしれない。復讐までにはずいぶん時
間が経っている。もし、青目という男に巡り会わなければ——彼は今回の事件など起こ
さないまま、生涯を終えたのかもしれない。

いいや、やはり遂行したか？

もっと泥臭く、単純な、他者を巻き込まないやり方で。

「水希さんはどこだ」

最も大事な質問をすると、青目はニタリと嗤《わら》った。

「そうそう。そいつがまだ残ってたな」

「おまえがそれを今教えれば、私が集落に戻る間の時間で逃げられる。だが教えないなら、ウロさんの呼ぶ応援が来るまで、ここを離れないぞ」

「『おまえから離れないぞ』のほうがグッと来るんだが」

「戯《ざ》れ言につき合う気はない。刑務所暮らしがしたいのか？」

「そいつだけはごめんだ。怖気《おぞけ》立つ」

だが、と青目はゆっくり首を傾げた。

「かといって、その取引は俺にはあんまり旨味がない。いますぐおまえを殺して、ひとりで逃げればいいだけの話だろ？」

「ならそうしろ」

「俺にはできないと思ってるのか？」

至近距離で顔を覗《のぞ》き込み、青目が問う。

くだらない質問に、伊織はただ顔をしかめた。殺したいならばとっくにそうしているだろう。かといって、絶対に殺されないとも思っていない。ただ、今ではないと感じているだけだ。

「不味《まず》いものを食ったみたいな顔をするなよ。傷つくじゃないか。……いいさ、俺はつくづくおまえに甘い男だ。水希の居場所は教えてやるよ。俺にはあの子を殺す理由もべつにないしな？　ちなみにまだ死んでないと思うぞ。たぶん。いや、どうかな。早くしないと、きっと死ぬ」

思わせぶりな口調は、もろちんわざとやっているのだ。温かな吐息が顔にかかるほどの距離で、伊織は青目を睨《にら》む。ひとつの瞳《ひとみ》で、見据える。

「どこだ」

時間がないのは事実だ。伊織は「早く教えろ」と急《せ》かした。

ほら、来た。

「……ひとつ欲しいものがある」

予想はしていたので、驚きはしない。だが同時に、青目の要求がどういうものかもだいたい察しているので、つい瞼《まぶた》がピクリと震える。それを見逃さなかった青目が「難しい要求じゃないさ」と微笑んだ。

「腹が減ってるんだよ」

胃のあたりを押さえて、青目が言う。

頭をゆっくりと俯《うつむ》けて、伊織の耳元に唇を近づける。伊織は動かなかった。もしかしたら動けなかったのかもしれない。自分でもどちらなのかはよくわからなかった。

「指でいい」

耳の産毛に、生温かい吐息がかかる。

こんな時に限って、風がまたやんでいる。だから青目のにおいが強い。

この男は自分の欲を隠さない。

血なまぐさい《鬼》の欲望を、自慢げにひけらかす。

「薬指、一本でいい。……置いていけ」

※

「わ、脇坂さんっ!?」

血まみれになった脇坂を見て、水戸部が叫んだ。脇坂自身、すっかり動転してその場にへたり込む。

吐血？　喀血《かっけつ》？

加南は放心状態だった。口の周りは血だらけで、けれど気を失っているわけではない。ぼんやりと脇坂を見ている。

「脇坂さんっ、大丈夫ですか!?」

「ぼ、僕は大丈夫……かかっただけ。あの、か、加南さんを病院に」

「はい、すぐに手配します！」

水戸部は近くにいた職員に「救急に連絡！」と叫ぶ。バタバタと誰かが駆け出す足音が聞こえた。

よろよろと、脇坂は立ち上がる。

行かなくては。早く、現場に……波口家に行かないと。

「み、水戸部さん、彼女をお願いします。僕は現場に……」

「脇坂さん、せめて、顔を拭《ふ》いてからじゃないと」

それはそうだ。この顔のままで表に出たら、自分が通報されてしまう。ポケットの中のハンカチを探していると、ベシャリという音がした。

「か、加南さん？」

加南が、自分の真っ赤な吐瀉物《としゃぶつ》を、手のひらで集めている。さらに、それを掬《すく》い上げて、口に運ぼうとしているのだ。脇坂は慌てて膝《ひざ》を突き、加南を止める。

「だ、だめです！」

「……いな……」

「え？」

呟《つぶや》かれた声を聞こうと、顔を近づける。

加南は掠《かす》れた声で弱々しく言った。

もったいない、と。

※

波口老人は水を吐いた。苦しそうだが自発呼吸もある。なんとか大丈夫そうだ。芳彦がそう判断した時、ドカドカと誰かが慌ただしく入ってくる。

「だ、大丈夫ですかっ」

飛び込んできたのは制服の警官だった。地域課勤務……つまり、最寄りの交番からやってきて、最初に到着したのだろう。

「この人を頼みます」

警官に波口を託し、立ち上がる。

急いで勝手口に回ると、甲藤が蹲《うずくま》り、呻《うめ》いていた。

「どうした⁉」

「夷さ……あいつ、スタンガン持って……」

そんなものを持っていたのか。狭い風呂場《ふろば》では出す余裕もなかったのだろう。芳彦は「大丈夫か」と甲藤を助け起こそうとしたのだが、「追ってくれ」と言われる。

「俺は平気だから……奴、通りを右に逃げてった……！」

声はしっかりしている。ダメージはさほどではないらしい。

芳彦は頷《うなず》いて、道路に出ると右方向を見た。先に丁字路。人影はない。

駆け出す。

《管狐》は俊足だ。すぐに丁字路までたどり着き、曲がった先に逃げる男の背中を見つけた。よたよたと、怪我人のような走り方だ。これならば本気を出す必要すらない。再び軽やかに走り出した芳彦が、男に追いつく寸前のことだった。

男が止まった。

止まったというより、つんのめった。

そのまま前のめりに崩れ落ち、膝を道路につく。

男は暮れゆく空を仰いだ。

両腕をぶらりと下ろしたまま、顎《あご》をグンと上げていた。芳彦は男の前方に回る。ずっと後ろ姿しか見ていなかったので、はじめて顔を確認した。

君生だ。

偽者の、君生。伊織の言っていたとおりだ。

眼鏡はしておらず、顔全体が不自然に白っぽくなっていた。額は浅くひび割れ、頬は乾燥でガサガサだ。顔はまだ軽症らしく、首や手などの露出している皮膚はもっとひどかった。まるで鱗《うろこ》のようになり、クラックの赤い筋が痛々しい。

口を開けて、カッと目を瞠《みは》り、空を見ている。

……いや、違う。

発作だ。心臓になにか起きたのだ。

苦悶《くもん》の表情を浮かべたまま、ぐらりと上半身が前方に倒れかける。

「君生さ……いや、あなたは、誰なんです？」

言い直し、その身体を支えた。男は苦しそうなまま、それでも芳彦を見た。ゼッゼッと異常な呼吸音がしている。わなわなと震えながら右手が上がり、胸部を掻《か》きむしるように動かす。

「すぐに救急車を呼ぶから」

芳彦は言い、ポケットの携帯電話を取り出すために、いったん洋を横たえようとした。だが彼はかろうじて首を横に振り、離さないでくれと目で訴える。

「……も…………」

もう、いい。

絞り出すようにそう言った。

芳彦は男を抱え直し、「そうか」と頷いた。

――君生さんは偽者かもしれない。もしそうだとしたら、あたしとウロさんが島に行っているあいだに目的を遂げようとするはずです。おそらくその男は、波口重伸になんらかの恨みを持っている。

船からの電話で、伊織はそう言っていた。

――従って、波口さん自身に危害が及ぶ可能性があります。……こんな予測、外れてほしいんですがね。

呟くように、そうも言っていた。

こんなにもぼろぼろの、哀れな男。

短く、早かった呼吸の間隔が聞き取れなくなってくる。口を開けたまま、目の焦点が合わなくなり――ふいに、男の苦しそうな表情が和らいだ。

虚空を見たまま、微笑む。

荒れた唇が動く。

「……か…………」

なにを言ったのかは聞き取れなかった。

芳彦の優れた聴覚が、複数の足音を感じ取る。

ようやく玖島たちが出張ってきたのだ。まもなくここまでたどり着き、この男は確保され、病院に搬送される。

けれどもう、彼は目を閉じ、すっかり静かになっていた。

まだ体温はあるし、微弱な脈も感じられるけれど、こちらには帰ってはこないだろう。

きっと迎えが来たのだ。

ずっと会いたかった誰かが、この男を連れていくのだろう。

※

指、一本。

それで水希の命が助かる。……かも、しれない。

伊織の指を喰らい、青目は逃げる。この男のことだ、逃走の準備は万全で、まんまと逃げ延びるだろう。

そしてまた、次の事件が起きる。

青目は飽きずに現れる。伊織の前に立つ。今度は指二本か？　腕か？　いっそ命を要求されれば、そこですべて終わる。

けれど青目はそうしない。

命ではなく、伊織の人生を要求するだろう。伊織の平穏な人生を、妖琦庵に集う家族を――奴は喰《く》い潰《つぶ》したいのだ。

「無理にとは言わないぜ。小娘がひとり死ぬだけだ」

ごく軽い調子で言い、青目は伊織の左手を取った。

伊織は逆らわない。

迷っていた……というより、理由を探していた。水希の命より、自分の指一本を優先する理由をだ。だがなかなか見つからない。確かに、今後同じことが繰り返される恐れはあるが、ならば今水希が死ぬべきだとも思えないからだ。

くるりと手のひらを上に返される。

「冷たい手だな」

青目に笑われる。たしかに青目の手は温かかった。

薬指を軽く握られる。

「どうする？　長考してる時間はないと思うぞ」

理由……理由。

拒絶する理由が見つからない。

薬指を失えば、点前《てまえ》のときに不便だろう。だがきっと慣れる。逆はどうだ？　自分がここで指を惜しみ、水希が死んだら？　そのことに伊織は慣れるだろうか？　あるいは忘れることができるのか？

無理だ。

そっちは無理だ。残念ながら。

「持っていけ」

ならば、くれてやるしかない。

「そうか」

普段よりもいくぶん声を高くして、青目が言った。瞠目《どうもく》し、瞳《ひとみ》が輝いている。本当に嬉《うれ》しそうだった。青目が指を喰いたがること自体を糾弾する気はない。

しかたないのだ。この男は《鬼》なのだから。

「刃物を当てたくない。食いちぎっていいか」

「好きにしろ」

手を引き寄せられる。青目の口元まで上げられる。熱い吐息がかじかんだ指先にかかり、じんわりと染みる。

白い歯が見える。尖《とが》った犬歯は使うのだろうか。

「一瞬で終わる。おまえが動かなければな。……問題は骨なんだ。ちゃんと関節に歯が食い込めば問題ない。ずれると、さすがに俺でも多少手こずる。位置的に奥歯が使えないから、かみ砕くのは難しい」

やたらと真面目に説明をする青目が、少し可笑《おか》しかった。だが顔には出さないまま、伊織は無言で待った。一瞬、これでもう水希が死んでいたら喰われ損だなと思ったが、それでも後悔が残るよりはましな気がする。

青目が、伊織の指先を咥《くわ》える。

自分の指が妙に白く見えた。爪が前歯に圧迫されて、少しだけ痛い。

ぬるりと。

指先に舌が巻きついた。

※

今日もまた母の夢を見る。

背景は海。真っ青な海。

モノクロではない。これは初めてだ。総天然色の夢だなんて嬉しい。子供の頃は、よく見ていた気もするが……どれくらいぶりだろう。

空も青い。高い位置に走る線のような雲と、波頭が白い。

僕は目を細めて海を見る。胸を高鳴らせて待っている。

ザンッ。

ほら、出てきた。キラキラと水しぶき。頭に巻いていた手ぬぐいが外れ、流されてしまう。きれいな黒髪が波に流れて揺らめく。大きく手を振る。

笑ってる。波が来る。水と戯れる。自由に。このうえなく自由に。

人魚のように。人魚だから。

……ああ、帰ろう。もう帰ろう。あの海へ。

おかあちゃん、待っとって。

わしも今、そっちに行くけん。

八

人は学ぶ。

学習し、今までできなかったことが、できるようになる。一般的に子供のほうが学習能力が高いとされているが、大人だって学習する。世の中はいつも変わっていくので、人は死ぬまでなにかを学習し続けなければならない。

とはいえ、習得のしかたは人それぞれだ。

「本日のコーヒー。ホットで」

鱗田はカウンターの前に立ち、言った。

「二番目の大きさでな。アワアワのミルク足してくれるかい？　猫舌だからぬるめに作ってくれ。紙コップじゃなくて、陶器のカップで飲みたいんだが」

「かしこまりました」

洒落《しやれ》た眼鏡をかけた若い男の店員が、満面の笑みで応《こた》えてくれる。そして控える製作担当スタッフに、例の呪文を唱えはじめた。トールカフェミストナントカカントカ。相変わらず聞き取れない。

鱗田は古き良き喫茶店を愛してはいるが、この手の店舗も慣れてしまえばそれなりに使える。面倒な呪文は自分の言葉に置き換えればいい。好き勝手に好みを言っても、大概のことには応じてくれるわけだから、それはそれで便利なものだ。

「ウロさんが進化してる……」

隣でぼそりと言ったのは脇坂だ。くたびれた財布を出しながら「なんだよ、そりゃ」と鱗田は新米刑事を軽く睨《にら》む。

「俺がこないだまで石器人だったみたいじゃないか」

「石斧《いしおの》担いでマンモス狩りですか？　いやいやそこまで言ってませんけど。でもすっかりオーダーに慣れましたね。ほぼ日本語っていうのが斬新です」

「日本だろ、ここ」

「たしかに！　僕も挑戦してみようかな。えっと、ええと……この場合なんて言えばいいんだろう……インド風紅茶のふわふわ牛乳入り……？」

「普通に言えよ」

会計をすませ、鱗田は言った。脇坂は「ですよね」と頷《うなず》き、改めてすらすらと注文を言い直している。いつまでもつかみ所のない馬鹿だ。

カウンターの隅に、並んで座った。

脇坂はドリンクと一緒に、大きなドーナツも持ってきた。表面が砂糖掛けしてあって、うっすらと白い。いいなと思った鱗田だが、このところ血糖値が気になるので我慢する。

そんな鱗田をよそに、脇坂はあんぐりと大きな口でドーナツに食らいついていた。

「むぐむぐ……いやぁ、身体が回復したら、妙にお腹減っちゃって」

「そりゃなによりだよ。おまえが一週間グースカ寝てる間に、俺も楽しく事後処理と報告書に追われていたさ」

「もう、また言う。何度も謝ったじゃないですか」

「馬鹿は風邪引かないってのは迷信だったんだな」

「いや、僕、インフルエンザでしたから」

風邪とは違う、と言いたいらしい。自分が馬鹿であるところに異議はないのか。ほんとにおかしな奴だと思いながら、鱗田はぬるめのコーヒーを啜《すす》る。

鱗田が竜女島から戻ってきたとき、脇坂は病院にいた。

インフルエンザに罹《かか》ったから……ではなく、加南が搬送された病院にいたのだ。すでに深夜で、脇坂はひどい恰好《かっこう》をしていた。シャツには血の色がべったりついていて、ズボンも汚れてクタクタ、無精髭《ぶしょうひげ》に目の隈《くま》と、王子様顔が台無しだ。

脇坂は、廊下で医師と話していた。

――ええ、そうです。吐瀉物《としゃ》を鑑識に提出したいんです。血を吐いてましたよね。あの血液型を……あの、それって、ここですぐに調べられたりします？　え？　A型？　あ、それは加南さんの血液型ですよね。そうじゃなくて……僕の推測が正しければ、吐いた血はO型だと思うんです。

こいつ、なにを言ってる？

最初は鱗田も訝《いぶか》ったが、ほどなく脇坂の推測とやらを理解した。血を吐いた加南はA型なのに、吐かれた血はO型であるなら……別人の血だ。

「飲むかねぇ、他人の血なんて」

マグカップで手を温めながら鱗田は呟《つぶや》く。一月末、寒さはより厳しくなっていた。

「それで若返ると信じてたら、飲むでしょう！」

「ずいぶん言いきるな、おまえ」

「僕が、三十九歳で結婚願望が強いのにちっともうまくいかなくて、それはきっと自分が若くないからだと思い込んでる女性だったら、飲むと思います」

「そんなもん飲んで、若返るわけないだろ」

「現実はそうなんですけどね。でもあいつが……」

その続きを脇坂は語らなかった。鱗田にしても、語られるまでもなくわかっている。

青目甲斐児。

奴の介入がなければ、こんな事態にはならなかっただろう。青目は根本加南に近づき、巧みに言いくるめて薬物を摂取させ、その上で強い暗示をかけていた。《人魚》である水希の血液を飲めば、若返ることができる。殺す必要はない、毎日適量を摂取すればいいのだと。

まったくもって、青目甲斐児は人を操ることに長《た》けている。

いや、操りやすい人間を選ぶことがうまいのか？　加南は看護師という仕事柄、採血には慣れていた。また、血液を保存するための血液抗凝固剤を病院から持ち出すことも可能だった。さらに、加南の中には水希に対する負の感情があり、青目はそれを増幅させたのだ。

「種がなあ」

コーヒーの表面の泡を沈めながら、鱗田は言った。

「え？」

「種がな、あるだろう。こう……人間の感情の、やなとこの。最近はよく英語でいうだろ。ネガテブ？」

「ああ、はい。ネガティブ」

「それそれ。誰でもネガティブの種みたいなもんを持ってる。妬《ねた》み嫉《そね》み僻《ひが》み……」

「ウロさんもありますか？」

「あるだろ、そりゃ」

「どんな？」

なぜかわくわくしたような顔で聞かれ、鱗田は考える。しばらく考えて「たとえば」と話し出した。

「おまえが妖琦庵で晩飯を食ったって聞いた時、軽くイラッとしたな」

「わっ。ホントに？」

「……なんでそんな楽しそうな顔なんだよおまえ」

「いやー、ほら、大先輩で大ベテランのウロさんを羨《うらや》ましがらせたわけですよね、僕？それってなんというか、快挙？」

「アホか。とにかく、イラッときたんだ。あれはよく考えてみたら一種の嫉妬《しっと》だろ。俺のほうがずっと前から妖琦庵に出入りしてんのに、飯なんか食わしてもらったことはなかったからな」

「やっぱり僕は特別なんだなあ」

「特別に図々《ずうずう》しいことは間違いない。……まあ、そんなようなちっぽけな種を、あの男はやたらでかくて、禍々《まがまが》しい木に育てちまう」

脇坂の顔から笑みが消えた。一瞬緊張した面持ちになってから、すぐにそれを打ち消すように口元だけで笑い、「ホントですよね」と返す。

青目甲斐児は捕まっていない。

鱗田の応援要請で警察が駆けつけた時には、すでに島内を脱出していたらしい。実に抜け目のない男だ。

「脇坂。おまえ、なんでわかったんだ？」

「はい？　なにをですか？」

「加南さんが水希さんを監禁してることだよ。加南さんが水希さんの血液を飲んでたなんて、普通は想像しないだろうよ」

場所を考え、血液、の部分はことさら小さな声で言った。

「それともおまえ、そういう趣味があんのか？」

「どういう趣味ですか、それ」

「おまえも美容のためならなんでも飲みそうだろ」

「コラーゲンドリンクくらいですよ、飲むのは。加南さん、自分が吐いた血を見て『もったいない』って呟いたんですよね。それって、変でしょう？　あと、エリーザベト・バートリのことも口走ってたし」

「エリーザベト・バートリ？」

「知りませんか？　血の伯爵夫人。猟奇殺人史マニアのあいだでは有名ですけど」

「……………おまえ、いつからそんなマニアになったんだ？」

いやいやいや、と脇坂は最後のドーナツのひとかけを食べ、首を横に振る。

「僕じゃないですよ。下から二番目の姉が、そういうのわりと好きで。部屋にその手の本がずらりとあったんです」

「そりゃまた変わった姉ちゃんだな」

「けど人間って、自分たち人間がどんだけ残酷かを知りたがるとこありますよね。僕も子供の頃、どきどきしながら姉ちゃんのそういう本読んでて……で、エリーザベト・バートリのことうっすら覚えてたんですよ」

脇坂の話によると、そのエリーザベトとやらは実在したハンガリーの貴族だそうだ。

彼女は若い娘の血液によって若さと美貌《びぼう》を保とうとし、一説によれば六百人の娘たちを惨殺したという。

「よくまあ、そんなに殺したもんだな……。で、若返りの効用はあったのかい」

「どうなんでしょうねえ。そこは伯爵夫人に聞いてみないと。でも途中から、殺すこと自体が目的になっていたようです」

エリーザベト・バートリのことを、加南は以前から知っていたのか。あるいは青目から教えられたのか。そのへんは、今後明らかになっていくのだろう。根本加南は現在も入院中だが、薬物はかなり抜けてきており、取り調べにも素直に応じているそうだ。

「……間に合ってよかったです」

紙ナプキンで口元を拭《ぬぐ》い、脇坂は言った。

加南の尋常ではない様子と、エリーザベト・バートリという言葉を聞き、脇坂は警察署を飛び出した。捜査本部の人間はほとんどが波口宅へと出払っていたため、脇坂に同行したのは生活安全課の水戸部という女性だ。

後日、水戸部は鱗田に話してくれた。

——びっくりしましたよ。

——ほら、脇坂くんって女子力高くてほわーんとしてて、刑事としてはどうなのよ、って内心思ってたんですけどね。真っ赤なゲロかけられても屈せず、怒濤《どとう》の勢いで根本加南の家に急行してました。

加南の両親は早世しており、相続した一戸建てにひとりで住んでいた。

亡くなった父親はオーディオが趣味で、半地下に防音室を作っており、水希はそこに監禁されていたのだ。心配されていた健康状態はさほどひどくはなく、三日間入院したのち、父親の待つ自宅へと帰ることができた。

「ウロさんと先生に、置いていかれた時はショックでしたけど……僕が東京に残ったのも、意味のあることだったんだな、と。……もしかして、先生はそれを見越して、僕を置いていったとか……!?」

「いや。邪魔くさかったんだろ？」

「えええ。ひどいなあ」

しょぼくれた顔をして脇坂が嘆く。鱗田は先輩刑事として、「ちっとは役に立ったんじゃないか？」と言い添えてやった。

「ちっと、ですか……。まあ、偽の君生さんを……余内洋を捕まえたのは夷さんですけどね。それに比べたら、僕なんか。……けど夷さん、さすが先生の家令です。夷さんがいなければ、波口さんは助からなかったんですもんね。一緒に甲藤がいたってところが、気にくわないですけど……」

最後は憎々しげな口調になり、脇坂は口を尖《とが》らせる。

「おまえ、あの男をいやに気にするなあ」

「だってあいつ、図々しいじゃないですか」

「おまえが言うかい、それ」

「言いますよ？　僕はちゃんと、許可をいただいて妖琦庵に出入りしてるんです。今夜もお呼ばれしてるんですよ、ふふ。マメくんからメールが来て、おでん食べませんかって。あ、ウロさんも誘わなきゃいけないんだった。どうです？」

「そういうことはもう少し早く言えよ……今夜は当直だよ……」

「わあ、残念。僕がウロさんのぶんもおでん食べてきます」

楽しげに残念と言う後輩の脚を、カウンターの下で軽く蹴《け》る。まったく、この脚の長いのも気に入らない。

鱗田の本心を言えば、脇坂をもっと褒めてもいいと思っている。

刑事として成長しているのは間違いない。あの時、鱗田が竜女島で、君生を背負って必死に急ぎ、やっと集落に戻り、イクに君生を託した時——。

鱗田がかけるより早く、携帯電話が鳴った。

出てみれば脇坂で、聞いたこともない泣きそうな震え声で、だが大きくはっきりと言ったのだ。見つけました、水希さんを見つけました、無事です、保護します、と。

洗足に、知らせなければ。

鱗田はそう思った。あの場に洗足が残ったのは、それを青目から聞き出すためだとわかっていた。ふたりの間にどんなやりとりがなされるのかは想像もつかないが……あまりいい予感はしない。だから、一刻も早く知らせなければ。

けれど、あの場所には電波が届いていなかった。

どうする。

今から走って戻るのか。間に合うのか。

……あの時は本当に焦った。鱗田も焦っていたが、イクもずいぶん焦っていた。衰弱しきった君生を見て、早く医者にみせないと、と口走っていた。だが、島に医者はいない。そして定期船はまだ何時間も来ない。

イクが叫ぶように言った。

——放送、しようらんと！　緊急の船を出してもらわんと！

防災用の島内放送。それはまさしく、島の世話役であるイクの家にあったのだ。それを使えば、洗足に知らせることができる。コンクリートの屋内では絶対とは言えないが、外に出ていてくれれば間違いなく届く。

結論を言えば、届いた。

鱗田の上擦った声は、ちゃんと洗足に届いた。水希が保護されたと伝えることができた。洗足に礼を言われていささか照れてしまった鱗田である。無論、脇坂の手柄だというこことは伝えておいた。

「ウロさん？」

呼ばれて、回顧から戻る。

ああ、と生返事をしてコーヒーを飲もうとしたら、もう空だった。

鱗田は顔を上げる。ガラス越しに見えるのは、急ぎ足で歩く人々だ。東京の人はいつも早足だが、冬はいっそうせかせかとしている。みんな、どこに向かって急ぐのだろう。職場か、家か、大切な人のもとか……。

「ウロさん」

「ああ？」

「おでんでなにが一番好きですか？」

「…………」

唐突な質問に、鱗田はまじまじと脇坂を見てしまう。どうしてこいつは、どうでもいいことばかり聞くのだろう。血液型だの、星座だの、おでん種だの……。

そう思いながらも、「結び昆布」と答えた。

脇坂が「さすがです。渋い」と褒めてくれたが、なにがどうさすがで渋いのか、鱗田にはさっぱりわからなかった。

「そんなわけで、ウロさんは結び昆布が推しダネだそうです。ちなみに僕はタマゴと餅《もち》巾着《きんちゃく》が甲乙つけがたい感じ。タマゴ人気は抜群の安定感ですよね。餅巾着は、お揚げとお餅の絶妙なコラボレーションがたまりません。焦って食べると、お餅にまだ芯《しん》があったりして、そんなときは呆然《ぼうぜん》自失になります。でもお餅は溶けすぎてもだめだし、つまりすべてにおいてタイミングが大事だと、僕に教えてくれるわけです。……みなさんはいかがですか？　なにダネ推しですか？」

「大根」

意外にも、すぐ答えたのは洗足だった。

脇坂は喜びいさんで「大根！　いいですよね、定番だけど！」と賛同したのだが、洗足は冷たい一瞥《いちべつ》をよこし、

「芳彦、そこのとびきり熱そうな大根を、この男のよく喋《しゃべ》る口の中に突っ込んでしまいなさい。まったくうるさいったらない」

などと物騒なことを夷に命じた。夷は夷で、「いやですよ、私は大根好きなんです」などと返している。

「なら、はんぺんでもいい」

「はんぺんはマメが好きだから、やっぱりだめです。ねえ、マメ」

「はい、はんぺん大好きです。うちのおでんはなんでも美味《おい》しいけど！」

素直なマメの台詞《せりふ》に、洗足が頬を緩めた。

まったくもってマメの存在はありがたい。もしマメがいなかったら、脇坂は本当に窒息するほどはんぺんを、口に突っ込まれていたかもしれない。

午後七時半。洗足家の茶の間である。

座卓にはおでんの土鍋《どなべ》が鎮座し、掃き出し窓のガラスが曇っている。洗足と夷は珍しく熱燗《あつかん》を飲んでいた。脇坂も進められたが、遠慮しておく。

「脇坂さん、お酒飲まないんですか？」

マメに聞かれ「そんなことないけど、今夜はよしておくよ」と答えた。素面《しらふ》のままで、洗足に聞きたいことがあるのだ。

とはいえ、その話をこの和やかな場でするつもりもない。

「先生はいけるクチなんですね」

「あたしの酒量なんかたかが知れてるよ。芳彦はザルだけどね」

「え、でも普段飲んでませんよね？」

足りなくなった辛子を練りながら、夷が「そうですね」と答える。

「飲んでも酔わないから、いまひとつ楽しくないんですよ。食べるほうが好きだね」

「どれくらい飲んだら泥酔、っていう感じになります？」

「わからない。泥酔したことがないから。……んっ」

辛子に鼻を近づけて香りを確認した夷が顔をしかめた。ツンとした辛みが立ちのぼったのだろう。

「それはまたウワバミですね」

「だから、たまに先生のおつきあいで飲むくらいですよ。はい、辛子できました」

「そういえば、マメくん。照子ちゃん元気だった？」

新しい辛子をもらい、自分の取り皿の縁につけながら聞く。マメは美味しそうに茶飯を頬張りながら「はい！」と答えてくれる。

「とっても元気でした。テルちゃんも、おばあさんも。あのね、春から咲耶《さくや》ちゃんも一緒に暮らすことになったそうです」

「そう！　それはよかったねえ」

「僕より少し前に、遊びに来てたんですって。その時の写真も見せてくれました。テルちゃんと咲耶ちゃん、いまちょうど髪の長さが同じくらいなので、なんだかすごく似てて……あたりまえですけどね」

照子と咲耶は二卵性の双子だ。一卵性のようにそっくりではないにしろ、姉妹なのだから似ているだろう。とはいえ、脇坂は以前、ふたりが姉妹だとはちっとも気づかなかったわけだが。

「ほんと、よかったね。きっと、四月から同じ学校に通……うっ、クハッ……辛子つけすぎた……！」

タマゴの黄身部分に辛子をつけていたら、色が同化してしまい加減がわからなくなったのだ。ハヒハヒと苦しむ脇坂に、マメが冷たいお茶をくれる。

「ハァ、びっくりした……。チューブのより、ずっと刺激的……でもこの辛さが美味しいんですよね。で、ええと、なんだっけ。そうだ、みなさんの推しおでん種。マメくんははんぺんで、先生と夷さんは大根でしたっけ」

「いや。あたしが一番好きなのは、これですよ」

洗足が鍋《なべ》の底のほうからずるりと白っぽい物体を引き出す。それを見て、脇坂は「えぇ」と顔をしかめた。

「それ……美味しいですか……？」

「なに言ってんだい、きみは」

「僕、それの存在意義がよくわかんないんですよね……それって小麦粉のかたまりでしょう？　なんでそれをおでんに入れなきゃならないんだろう……」

あれ、と夷が脇坂を見る。

「脇坂さん、関西でしたっけ？」

「いえ、僕生まれも育ちも東京です」

「なのにちくわぶ否定派なんだ。珍しいですね」

「否定はしませんが……なんかこう、納得できかねる……」

「納得できかねるのは、むしろきみの存在でしょうが」

しまった。洗足のお説教ボタンを押してしまったらしい。ちくわぶを取り皿に移し、その上におたまでおでんの汁をかけながら「まったく」と眉《まゆ》を吊《つ》り上げる。

「ちくわぶの美味しさがわからないなんて……小麦粉のかたまり？　だからいいんじゃないですか。ちくわぶは、ほかの種からもいい味のしみ出た、そんなだし汁をたっぷり吸うんです。だから余計な味なんかついてなくていいんですよ。いわば大根と似た役割をしているんです」

「なら大根でいいんじゃゃ……」

「黙んなさいっ」

「す、すみません」

叱られて脇坂は肩を竦《すく》める。すると、今度は夷が「私もべつにいらないと思いますねえ、ちくわぶ」とぼやいた。

「うっかり食べると、妙にボリュームがあって、ほかの種が食べられなくなったりするのが困るし。ちくわがあったら、ちくわぶはいらないと思うんですが」

心強い味方が現れた。脇坂は「そうそう、ちくわでいいですよ！」と喜んで同意する。

「ふん。馬鹿だね、きみらは。ちくわとちくわぶはまったく別物でしょうが。原料も役割も違う」

「でも形は似てますよ？」

脇坂が反論すると、洗足は「どこが？」と箸《はし》でちくわぶを持ちあげた。

「ちくわぶの最もちくわぶらしいところは、表面のこのギザギザですよ？　表面積を大きくして、汁を効率よく吸う工夫がされている。徹底的に考え抜かれたフォルムです。

ちくわにこんなギザギザがついてますか？　ええ？」

「それは……ないですけど……」

ちくわぶを突きつけられる勢いに、脇坂は声が小さくなってしまった。すると夷が、

「つまり変な形のうどんですよ」と言い出す。

「鍋にへばりついて焦げたりするし。いささか迷惑です」

「そうならないように、ちゃんとあたしが見張ってるじゃないですか」

「いいえ。前回の時も、焦げてました。先生、ちくわぶ好きなわりに飽きますからね。

絶対にひとつかふたつ残します」

「それは、芳彦がひとつも食べないからだろう」

「食べませんよ。好きじゃないですから」

「入れすぎなんですよ。今日だってそうだけど」

「一本買ったらこの量になるんです」

ふたりの刺々《とげとげ》しい応酬に、脇坂は「あ、あ、あの」と慌ててしまった。洗足と夷が言い争っているなんて、見ているほうが心臓に悪い。

「その、やめましょう、ケンカは。僕がちゃんとちくわぶを食べますから……っ」

動揺する脇坂を見て、マメが笑いながら「ほっといていいんですよ」とごぼう天を掬《すく》い取った。

「で、でも」

「恒例行事です。おでんの時はいつもこの話になるんですよ。お正月はお雑煮でなったし、すきやきの時にも揉《も》めますね」

「すきやきって揉める要素ありましたっけ……あ、割り下を使うかどうか？　西って使わないんですよね？」

「いえ、うちは割り下は使います」

ごぼう天を齧《かじ》り、マメが説明してくれる。

「しらたきか糸こんかで揉めるんです。先生がしらたき派で、夷さんが糸こん派」

「ああ……なるほど。マメくんは？」

「僕は美味《おい》しければ、どちらでも」

そう言って、にっこり笑うマメは相変わらずの童顔なのだが、今夜はやけに大人っぽく見えた。きっとすぐそばで、いい大人……というかオッサンふたりが、いまだにちくわぶ論争を続けているせいだろう。

「そんなに好きなら、今度ちくわぶごはんを炊いてあげます。先生だけに」

「いりませんよ、そんな摩訶不思議《まかふしぎ》なごはんは。あたしはおでんに入ってるちくわぶが好きなんです」

「本当に好きなら、どんなちくわぶでも愛してあげたらどうです」

「そういう甘やかしは、ちくわぶを駄目にするだけです」

最早《もはや》、なんの話をしているのかよくわからない。

脇坂は茶飯の上によく染みた大根を載せ、平和だなあ、と思っていた。茶の間でおでんを食べながら、どうでもいいことで揉めつつ、それでも夷は主《あるじ》の杯に酌をしている。平穏無事である。

それでも脇坂は知っている。

今もきっと、ここではない別の場所で事件が起きている。苦しんでいる人がいる。殺される寸前の人が、あるいはたった今息絶えた人がいるかもしれない。脇坂がいま、茶飯を口に含んだこの瞬間に、だ。

誰か、数えたことのある人はいるだろうか。

この世の中の幸福と不幸の数を。

そのうちどちらが多いのかを。

そんなものはカウントできないのは知っている。けれど気になる。知りたいと思う。いや、おそらく確証がほしいのだろう。誰かに言ってほしいのだ。

大丈夫、幸福のほうが少しだけ多いよ、と。

甘い考えだとわかっているのだが……そうでも思わないと、この仕事を続けるのはきつい。あるいは、いずれ慣れるのか。おでんを食べながら、死んだ人や、傷ついた人のことを考えなくてすむようになるのか。そうなれないとしたら、脇坂に刑事としての適性がないのだろうか。

「脇坂くん」

「あ。はい」

茶飯を見つめたまま、しばらくぼんやりしていたらしい。

いつのまにか、ちくわぶ論争は終わっており、洗足は猪口《ちょこ》を唇につけながら「食休みしたら、一服いかがです」と聞いてきた。

「いえ、僕、煙草は吸いません」

洗足も吸わなかったはずなのに……と思いながら答えると「ほんっっっっとに、馬鹿だね」と例の如く眉を寄せられる。

夷は苦笑し、マメも少し笑っていた。

そこで脇坂はやっと気づく。

一服とは煙草のことではなく、お茶のことなのだと。


ゆらり。

白い和紙でできた箱の中、灯りがゆらめく。

これはなんと言うのだったか。脇坂はしばし考え、思い出した。

そうだ行灯《あんどん》だ。時代劇などで出てくるやつだ。実物を見るのは初めてだった。へえ、と上から覗《のぞ》き込むと、灯心が五本あった。

妖琦庵ではなく、ふだん広間と呼ばれている和室である。

最初にこの家を訪れた時、通された和室だ。妖琦庵でお茶をいただく前には、まずここで支度をする。茶道では『待合』と呼ばれる空間らしい。

部屋に電灯はあるが、ついていない。

床の間近くに置かれた行灯と、火鉢の灯りだけである。

脇坂は火鉢を見るのも初めてだった。どっしりとした丸い火鉢は陶器だろうか。やや平たく、ざらついた茶色だ。中央で赤々と輝く炭は美しいが、正直、現代人が暖を取るにはもの足りない。茶の間に比べ、この部屋はずいぶんと寒々しい。

「ここで寒さに慣れておくといいですよ。妖琦庵はもっと寒いですから」

白い靴下を持ってきてくれた夷が言う。

脇坂は礼を言い、靴下を履き替えた。懐紙は持ってきている。最近見つけた和風の雑貨ショップで売っていたのだ。自分が懐紙を買う日がくるなんて、思ってもいなかった脇坂である。

腕時計を外し、ネクタイが曲がっていないか確認した。

洗足家の母屋にはだいぶ馴染《なじ》んだ脇坂だが、妖琦庵に入る前はやはり緊張してしまう。あの場所は、それほどに特別な空間なのだ。

やがて、鐘の音が聞こえてきた。五回鳴る。

準備が整ったようです、と夷が教えてくれた。

露地に出ると、蠟燭《ろうそく》を渡された。これまた見たことのない、脚が三本ある台に載っている。手燭《てしょく》といい、一本だけ長い脚の部分を持って使うらしい。

「足元に気をつけて。蹲踞《つくばい》のそばに湯桶《ゆおけ》がありますから、それで手を清めてください」

「はい。ありがとうございます。行ってきます」

夷に見送られ、露地を進む。

この、暗さ。

母屋から妖琦庵はすぐそこのはずなのに、闇が脇坂の足を遅くする。

さっき気づいたのだが、茶事が始まると母屋も灯りを落としてしまうのだ。しかも庭側からだと裏手の竹藪があって隣家が遠い。今夜は月も星も見えず、東京二十三区内とは思えない暗さが成立する。蹲踞には小さな露地行灯があって、湯桶の存在はすぐにわかった。手水鉢《ちょうずばち》の水が冷たい時期の心遣いなのだろう。

「いっ……！」

躙《にじ》り口《ぐち》に頭をぶつける。

ここってどうしてこんなに入りにくいんだろうと苦心しながら、無様な動きで妖琦庵へと身体を進めた。茶室の中は予想どおりに暗いが、まったく見えないわけではない。床の間には脇坂が持っていたのと同じ手燭が置いてあった。

ぼう、と薄明るい部分があり、それはむしろ闇を際立たせているようだ。

床に軸はなにもない。花もなく、地味な草のようなものが生けられている。

洗足はすでに点前座《てまえざ》にいた。そこには、手燭とはまた違った灯りがある。名称がわからない。どう説明したらいいだろう……台の上に棒状の板が立っていて、上部分に陶製の容器があって、そこに火が点《とも》っているのだ。油と芯《しん》が入っているらしい。

「夜咄風《よばなし》に、と思ったんですがね」

洗足の声に、茶室の空気がゆらりとする。

「夜咄、ですか？」

「寒い時期に、蠟燭の明かりでする茶事ですよ。だがもともと、妖琦庵は夜の茶会ばかりなので、普段とそう変わらない」

「はあ。なるほど」

「干菓子もいつもどおりです。召し上がれ」

「はい。いただきます」

出された金平糖を懐紙に取り、指で摘まんで口に入れる。ふわりと香ったのは、柚子《ゆず》だろうか。普段と変わらないと言いながら、季節のあつらえが行き届いている。美味しくて、あと百粒くらい食べたいほどだった。

洗足が点前を始めた。だいぶ目が慣れてきて、滑らかな所作も見て取れる。茶の間では半纏《はんてん》など着てリラックスしていた洗足だが、今はきちんと羽織を着けている。

「脇坂くん」

「はい」

「水希さんの監禁場所によく気がつきましたね。あれはお手柄だ」

「えっ。あ、いや、その……」

突然褒められ、驚いてしまった。

「なんだい、その返事は。褒めてるんだから、礼くらい言いなさい」

棗《なつめ》を清める洗足に叱られ「す、すみません、ありがとうございます」と多少つっかえながら言う。本当にびっくりした。罵《ののし》られるのは慣れているが、褒められるのは慣れていないのだ。

「彼女が無事だったのは、この事件の救いです。……健康状態はそれほど悪くなかったと聞きましたが？」

「はい。血を抜かれ続けていたわけですから、かなりひどい状態を覚悟していたんですが……正直、加南さんのほうがやつれたくらいです。加南さんは食事もせずに、保存液に混ぜた血ばかり飲んでいたらしく……。でも水希さんは、二日に一度採血されてはいましたが、スープや雑炊など、消化がよくて温かい食事を出されていたそうです」

脇坂は現場で水希を保護したわけだが、部屋は暖房が入っていたし、簡易ベッドも置かれていた。

「……加南さんは、看護師さんでしたね」

「この五年は美容外科の病院で働いていますが、その前は総合病院の内科に勤務していました」

当時の同僚が話してくれた。

しっかり者で、我が儘《まま》な患者には厳しいが、弱っている患者にはとても優しかったと。意識がない患者のケアをする時も、必ず声をかけるような人だったと。

「……先生、僕は勘違いしてました」

「きみは基本、勘違いと間違いばかりです」

ばっさり言われて苦笑しながら「それはそうですが」と脇坂は続けた。

「今回はひときわ馬鹿な勘違いをしていて……。加南さんからたくさんメールもらって、僕、もてるなあ、なんて思ってたんです」

「ああ。馬鹿だね」

「はい。馬鹿です。……メールがどんどん増えて、文の様子がおかしくなってきて、なんかまずい人に執着されちゃったなあとか……そうじゃないのに……そんなんじゃなかったのに。だって、考えてみたらおかしいんですよ。水希さんを監禁していたのは加南さんで、その加南さんが刑事の僕にメールを送り続けるなんておかしい」

普通に考えれば逆だ。敬遠されているはずなのだ。

「あれは……きっと……彼女のSOSだったんですね」

洗足は返事をしなかったが、否定もしない。袱紗《ふくさ》をさばく音だけが聞こえる。

「青目による暗示と薬物は、彼女の理性を打ちのめした。悪意ばかりを増幅させて、犯罪に走らせた。だけど、彼女の中にまだ残っていた理性とか……人間らしい気持ちとか……そういうものが、メールを書かせたんじゃないかと思うんです。刑事である僕に、助けを求めていたんじゃないかと」

どうかやめさせて。

私にこれ以上ひどいことをさせないで。

わたしを　すぐに　つかまえて。

「もっと早く、気づくべきだったのに。……馬鹿です」

釜《かま》の蓋《ふた》が開く。

ふわりと、湯気が立ちのぼる。

「きみのことを『馬鹿』と貶《けな》すのは、あたしの役回りです。だから、自分でそんなに馬鹿馬鹿と言わなくてもよろしい」

洗足の言いぐさに、脇坂は少し笑った。この人が本当は優しいことは百も承知だけれど、遠回しでも言葉にして慰められれば、胸の奥に灯火《ともしび》がともるようだ。

「今後は心に刻むことですね。自分がもてるはずないという現実を」

「ひどいなあ、先生。でも、先生にお手柄と言っていただけて嬉《うれ》しいです。ウロさんだって『ちっとは役に立った』くらいしか言ってくれなかったのに」

「ちっと、ですか」

「はい。けどまあ、本当に少しですから……。僕があのタイミングで気がつかなくても、加南さんは結局、自白したと思いますし」

「……あのタイミングが重要だったんですよ」

「え？」

意味を測りかねた脇坂だったが「ともかく」と洗足は話を進めてしまう。

「きみも多少は刑事らしくなってきたわけだ。今後も精進なさい」

「はい」

点前が進む。

薄明かりの中、ポゥと佇《たたず》むのは、乳白色の茶碗《ちゃわん》だ。闇の中の白は目立つんだな、と脇坂は思う。洗足が釜の湯を汲《く》んで、茶碗に入れる。

ピク、と左手が揺れて、流れるような所作がわずかに乱れた。

左手の薬指に怪我をしているのだ。今夜最初に洗足を見たとき、まずその包帯が目に入ったのだが、なんとなく聞き損ねていた。

「あの……先生。その包帯、どうしたんです？」

「怪我」

さらりと答えてはくれたが、そんなことは脇坂だってわかっている。どんな怪我か、どうして怪我したのかというところが問題なのだ。しかしこれ以上追求していいものか迷っていると、洗足がぽつりと「爪をちょっとね」と補足した。

なるほど、包帯は薬指の先のほうだけだ。爪をなにかにひっかけて、剝《は》がしかけたりしたのだろうか。想像しただけで痛そうである。

「指先の怪我っていやなもんですよね。お大事にしてください」

「まあ、爪ならまた生えるから構わない」

「……はい？」

「それで、波口さんの容態は？」

事件について尋ねられ、脇坂は改めて背筋を伸ばす。

「意識はありますが、予断を許さない状態です」

水希の祖父、波口重伸は殺されずにすんだが、肺に水が入ってしまったことから肺炎を引き起こし、それが重篤化している。

「余内佳子さんの殺害を……認めています。四十二年前、不倫関係にあった彼女に、妻とは別れるから結婚したいと申し出たそうです。ですが佳子さんは拒絶。激昂《げきこう》した波口は、彼女の首を絞めました。殺意はなかったと言ってますが……」

波口が我に返った時には、すでに佳子さんの息はなかった。動揺した波口は、当時の使用人、小津吉市の手を借りて死体を海に投棄する。

「小津は当時まだ十六歳で、波口に逆らえなかったことも考えられます。……が、もう調べようがありません。すでにお伝えしてあるとおり、二十六で溺死《できし》しています」

つまり、三十二年前だ。

「もうひとり、当時竜女島の駐在だった須佐見孝も、佳子さんの事件に関与していたと思われます。佳子さんの遺体が浜に上がった時、首には絞殺のあとがあったはずです。それをあえて無視した可能性が高い……島には医師がいない時期だったので、そのまま事故死として報告されました。そして、この須佐見も」

死んでいる。

一昨年《おととし》、東京湾で溺死している。

「……先生」

声を押し殺し、聞いた。

「このふたりも……彼が殺したんでしょうか。余内洋が、母親の敵《かたき》を討ったということなのでしょうか……？」

洗足は答えなかった。

無言のまま、茶を点《た》てている。脇坂はおとなしく待つ。事件そのものは終わってしまったのだから、急ぐ必要はない。ただ、自分の中で整理しておきたい。脇坂がこれからも刑事という仕事を続けるのならば、それはどうしても必要なことだった。

だから、一服の茶を待つ。

妖琦庵の闇の中で。

やがて薄茶が出された。脇坂は「頂戴《ちょうだい》します」と深くお辞儀をする。温かな茶碗を手にすると、肩の強《こわ》ばりが少し解けた。

細かな作法について、洗足が口を出すことはない。好きに飲んでいいと言われているので、型よりも味わうことを優先させた。以前飲んだときより、お茶の温度がやや高いように感じられる。それが冷えた身体にありがたい。

「洋さんが殺したんでしょう」

ずいぶん間を置いてから、洗足の答があった。

「小津吉市が死んだ時、洋さんはまだ十七ですが不可能ではない。ひとりで密《ひそ》かに島に戻り、小津に会い……」

殺害した。

筋は通っている。けれど、脇坂には納得できない点があった。

「ですが……洋が母親の復讐《ふくしゅう》をしたのなら、まず殺すべきは波口ですよね？　なのに実際に手を掛けた順番は、小津、須佐見、波口になってる。しかも、小津と須佐見のあいだは三十年もの経過があります。時間があきすぎていて、不自然に思えるんです」

「すべてが計画された復讐劇だとしたら、たしかに不自然です」

「え……でも、これは青目によって綿密に計画された事件ですよね？　島の人魚伝説を利用して、君生さんを拉致《らち》したり、看護師である加南さんを利用したり……。洋さんは整形手術までして、外見を若くしています。偽の君生を演じるために」

余内洋の実年齢は四十九歳だった。三十三歳のはずの君生になりすますには、外見に手を加える必要があったのだ。

「そう。ある程度の時間をかけて計画したものでしょう。青目が洋さんに接触したのは、二年以上前と考えられる。ただし、小津さんのケースだけは別です。洋さんは、小津さんを殺すために島に戻ったのではなく——ただ、確かめたかったのかもしれない」

「なにをですか？」

「……まず、茶碗を返しなさい」

言われて、自分が茶碗をしっかと持っていたことに気づく。少し慌てたが、茶碗を取り落としたりしないように、丁寧に返した。洗足は茶碗の清めに入る。

「母親が死んだとき、洋さんはまだ七つです。遺体をはっきり見たとしても、十年経てば記憶が曖昧《あいまい》になってくる。母は殺されたと思ってきたが、もしやそれは自分の思い込みなのではないか……そんなふうに考えたかもしれない。憎しみから解放されて生きるほうが、ずっと楽ですからね」

「では……事件の真相を確かめに？」

「そうだとしたら、最初に小津吉市に会った意味もわかります。小津はなんらかの障害があったらしく、学校の勉強にはほとんどついていけなかった。ただ、とても素直な性格なので、島の人たちは彼を嫌ってはいなかったと。素直……つまり、嘘をつかない。つかないというか、つけなかった」

そうか。小津を問い詰めれば事件の真相がわかる——洋はそう踏んだのだ。そして小津は喋《しゃべ》ったのだろう。波口が洋の母親を殺し、自分はそれに手を貸したと。

「真実を知った洋さんが……衝動的に、小津を……？」

「加害者も被害者もいなくなった以上、藪の中ですがね」

「仮にそうだとしたら、最初の殺人は衝動で……そのあと三十年近く経ってから、青目の協力を得て、計画的な犯行に踏み切ったと……？」

洗足は茶筅《ちゃせん》通しをし、水を建水にあけた。

どこからか風が忍び寄り、蠟燭《ろうそく》を揺らす。ゆら、ゆらと……なんだか炎が不安定になっているような気がする。

「洋さんが協力を請うたわけではない」

洗足の言葉に、脇坂は驚かなかった。やはりそうなのか、と思っただけである。

「青目が、洋さんを焚《た》きつけたんです。言葉巧みに復讐を煽《あお》り、資金と計画を与え、そして励ました」

「励ます？」

どうしてそんな言葉が出てくるのだろうか。

「必要だったんですよ、励ましが。大丈夫、やれる、あんたはちゃんと復讐できる、俺が手伝うから諦《あきら》めるな、母親を殺した網元を許すな……きっと、間に合うから」

間に合うとは、なにに？

脇坂の疑問は顔に出ていたのだろう。洗足は袱紗《ふくさ》で茶杓《ちゃしゃく》を清めながら「寿命です」と教えてくれた。余内洋には死期が迫っていたというのか？

「あ……では、心臓が悪いとか、あのへんは芝居じゃなかったんですね？」

「あたしは見てませんがね。体調はかなり悪かったはずだ」

「道理で真に迫ってたわけだ……」

「まあ、彼はうちに来るわけにはいかなかったんだし、タイミングとしては演技だったのかもしれません」

「え？」

脇坂が小首を傾げると、洗足も「ん？」とこちらを見る。ふたりで、しばし見つめ合ってしまった。

「あの。どうして余内洋は……妖琦庵に来るわけにはいかなかったのでしょう……？」

たどたどしく聞くと、洗足は袱紗を手にしたまま固まり、

「脇坂くん」

と真剣な目をした。

「は、はい」

「まさかきみ、わかっていないのかい？」

「は？　え？　あっ……？」

なにを？　と聞いたら袱紗が飛んできそうである。いや、茶碗《ちゃわん》か。いやいや、高価なものだろうからそれはないだろう。

だが洗足はなにも投げなかった。

ひとつ深く呼吸をすると、釜《かま》の蓋《ふた》、続いて水差しの蓋を閉めるところまでの所作を終える。そのあとで「実に」と苦い顔をした。

「平常心を試される点前《てまえ》だ」

「そ、そうですか？」

「この茶室であまり汚い言葉を使いたくないが、きみの愚かぶりには釜を投げそうになる。熱いからしないがね」

「そ、そうですね。やめたほうが……」

茶碗どころか釜だったか、と脇坂は思わず肩を縮める。

「さあ、考えなさい。なぜ洋さんは、妖琦庵に来られなかったのか」

「ええと……先生に会ったら……君生さんのふりをしているのが見抜かれるから、でしょうか？」

「そうとも言えるけれど、核心は突いてない」

「核心……」

「脇坂くん。あたしの特技を忘れたのかい。言っておくが、きみを罵倒《ばとう》することじゃないよ。それは特技ではなく、趣味だ」

趣味なのか、と思ってしまった脇坂だが、今はその点に構っている場合ではない。洗足の特技、特殊な力については言うまでもなかった。

「見ただけで、妖人《ようじん》とわかる力ですよね……？」

「つまり洋さんは、先生に会ったら妖人だと見抜かれてしまうから、会えなかった……？　でも、本物の君生さんだって、妖人だという可能性はありますよね？　妹の水希さんはすでに妖人判定されてるんだし……。登録は《人魚》で、そこだけは違ってたわけですけど……」

「そう」

喋りながら、脇坂は（あれ？）と思った。

人魚の一族と名乗っていた、波口家。その血を引く、君生さんと水希さん。しかし、彼らが《人魚》ではないことは、波口本人と会っている洗足が看破した……。

……《人魚》ではない。

本物の君生さんならば《人魚》ではない。あってはならない。

だが、偽者は。

余内洋は。

「……に……《人魚》……？」

脇坂は思い出す。洋を。偽者の君生を。

目立たぬよう、いつも俯《うつむ》きがち。顔を隠すような眼鏡。そして……二重になった手袋。

それを取った時の、ひどいあかぎれのような手。

「彼は……《人魚》だったんですね？」

愕然《がくぜん》として聞く脇坂に、洗足は「やっとかい」と呆《あき》れ声を出した。

「そう。《人魚》だから、あたしの前には決して現れなかった。きみがあの手袋を持ってきてしまったのは痛恨のミスか……あるいはそれすら、青目の計算だったのか。どっちにしても、あたしは島に向かったわけですが」

　人魚……人魚。

　なんてことだ、《人魚》だ。

「今回の事件は、確かに《人魚》の事件でした。四十二年前に殺された《人魚》。その復讐《ふくしゅう》をしようとした《人魚》」

　被害者も《人魚》。そして加害者も《人魚》。

「波口さんが警察署に押しかけて来た時……あの時はあえて話しませんでしたが、《人魚》の特徴でもある皮膚疾患は、実のところ男性しか出ないんです。性染色体に関わるものなんでしょう。女性の皮膚はきれいなままだ。寿命が短いことは、男女とも同様ですがね」

　手燭《てしょく》を引き寄せ、洗足が言う。

「五十前後ならば、すでに循環器系が脆《もろ》くなっていてもおかしくない年齢です。彼には時間がなかった。だからどんなことでもできた。このまま自分が死んだら、母は浮かばれない。母の敵《かたき》を取らなければならない。そうしなければ、自分が生きた意味がない」

　ピンセットのようなものを、炎に差し込む。パチリと音がした。

「そういう精神状態に、青目が追い込んだ」

不安定だった炎が、落ち着きを取り戻す。

洗足が蠟燭の芯《しん》を切ったのだ。

「《人魚》は——洋さんは、本当に波口さんを殺したかったのか。ずっと憎しみを抱えながら生きていたのか。青目は多少、背中を押しただけなのか。……そのへんは、あたしにもわかりませんがね。少なくとも、青目がいなければ、あれほど込み入った計画にはならなかったでしょう」

淡々と洗足は語る。

わからない。

脇坂にはわからない。そして許せない。

「なぜ青目は……そんな真似をするんです？」

無意識に拳《こぶし》を作り、膝《ひざ》の上で固く握りしめる。

「あいつはいつも他人の心に入り込み、操って、犯罪を助長する……。その目的はなんなんです？　単に楽しいからやってるんですか？　それは逮捕されて刑務所にぶちこまれるリスクを背負ってもやりたいほど、楽しいゲームだっていうんですか⁉」

「静かに」

手燭を自分と脇坂のあいだに置き、洗足は諫《いさ》めた。

「妖琦庵《ここ》で大声は許しません」

「でも、先生」

「それに、きみはなぜそれをあたしに聞くんです？」

逆に問われて、脇坂は返答に詰まる。

なぜ？

なぜって……それは、

「あたしならわかると？　青目を理解できると？　そう思うんですか、きみは？」

「いえ、そうじゃなく……僕はただ……」

「ただ？」

脇坂は口を閉じた。なにも答えられない。たしかに、洗足に聞くべきことではなかった。だが同時に、洗足なら知っているはずだと、咄嗟《とっさ》に思ったことも本当なのだ。

「先生と……青目の関係が気になっているんです」

愚直すぎると知りつつ、口にした。

洗足の右目がッと細くなる。

「青目はなぜ……先生を巻き込もうとするんです？　今回もそうです。《人魚》を、妖人を利用したのは、そうすればY対が動くからで、つまり先生が動くからだ。あいつは、青目は、他人を利用して犯罪を起こし、それを餌にして先生をおびき寄せているみたいじゃないですか！」

吐き出した言葉に、脇坂は自分でゾッとした。

なんだ、これは。この考えは。

いやだ。そんなのは困る。あり得ない。間違ってる。そう否定したい。馬鹿な自分の推測など、すぐに洗足に木っ端微塵《みじん》にされたい。

だって、だめだろう。もしもこの馬鹿な考えに添うならば、青目が犯罪を重ねる目的は洗足にあり、洗足の存在そのものが、犯罪の契機になっていることに――。

「あ」

脇坂は無意識に声を上げ、洗足を見た。きっと、縋《すが》るような目だったのだろう。哀れみの視線が返される。怒られていい。侮蔑《ぶべつ》でもいい。早く馬鹿者と言ってください。罵《のの》って、叱責してください。

そう願ったのに。強く願ったのに。

「そうですよ」

洗足は言う。

いとも易く、肯定してしまう。

「青目の目的はあたしだ。事件そのものは、きっとなんでもいいんだろう。……いや、選びはするのか。あたしを動かしやすいほどいいのだからね。今回のように」

「……え?」

「青目が偶然、洋さんと出会ったとは考えにくい。恐らく奴は竜女島に赴いて、探したんだろう。事件の種になりそうなものはないか、と」

どういう意味だ? 脇坂は混乱しながら必死に考える。

青目は、洋さんに出会い、それから事件について知ったのではない……のか？　洗足の言い方だと、青目はまず竜女島で過去の事件に気づき、それから洋さんに接触したかのような……。

「でも……どうして奴は竜女島になんか……」

「キーワードになるからですよ」

「キーワード？」

「あたしを触発するキーワードです。竜女島という人魚伝説のある島について——青目に話したのはあたしですからね」

ゆらり。

蠟燭《ろうそく》がまた揺れる。脇坂は絶句したまま、炎の向こうの洗足を見る。

「なぜ……そんな、話、を？」

やっと出た言葉に、洗足は「なぜというほどの、理由もない」と返す。

「どういう流れでその話になったのかも、覚えていません。たぶん母の思い出話でもしていたんでしょう。あたしは母から、竜女島について聞いてましたから。その島で、《人魚》に会ったことがあると。伝説のではなく、本物の《人魚》に」

それはきっと洋の母親だったのだろう、と洗足は語った。だが脇坂にとって、そこはたいした問題ではなかった。それよりも、なぜ洗足と青目の間で、そんな会話があったのかが重要なのだ。母親との思い出話を、青目と？　あの《悪鬼》と？

「昔の話ですよ」

脇坂の頬が歪《ゆが》んでいるのを見て、洗足は言い添える。

「そういう、穏やかな会話が成立していた頃もあったんです。短いあいだでしたが」

「先……」

「その後、あたしは青目を見限った。だが青目はあたしを諦《あきら》めていない。……うんざりするほどに、思い知りましたよ。あいつにとって事件は手段で、目的はあたしだ。あたしの人生、と言ってもいいね。あたしがここで築き上げた、ささやかだが人間らしい暮らしと、大切な家族。そういったものを奪おうとして……」

いや、と洗足は言い直した。

「捨てさせようとしている。奴が奪うのでは意味がない。あたしが能動的に捨てなければ——奴は納得しない」

「……どう、して」

脇坂の声が震え、吐息で蠟燭も震える。

「どうして、なんですか。なんで奴はそんなに」

欲しがるのか。洗足伊織という男を。

「同じだと思ってるからでしょう」

洗足の口にした理由は、とても納得のいくものではない。

「なにが同じなんです？　せ、先生とあいつはぜんぜん違う」

「青目はそう思っていないんですよ。自分とあたしを同じカテゴリに入れている。異端であり、受け入れられず、永遠に孤独な者だと」

「違うッ」

　また大声を上げてしまった。洗足は言葉では叱らず、自分の唇の前に指を一本立て、静かにするように諭す。蠟燭のように、白い指だった。

「あたしも、違うと思いたいんですが……さて、どうだか」

　いつになく煮え切らない洗足に、脇坂は苛立《いらだ》ちを隠せなかった。手燭《てしょく》を摑《つか》み、膝でにじって洗足に近寄る。

「違います。先生は、青目とは違う」

　怒ったように繰り返した。洗足に対して、こんなふうに強く出るのは初めてだったが、自分を止められない。脇坂にとって、青目は許しがたい『悪』だ。刑事としてというより、人間として許せない。決して肯定できない存在である。そんなものと洗足が同じだなんて、納得できるはずがない。

　蠟燭の炎に照らされ、洗足の左目を隠した顔が白く浮かび上がる。

　細い眉尻《まゆじり》が、僅《わず》かに下がった。目尻に浅い皺《しわ》が生じる。薄い唇の端が引き上がる。

　笑っている。洗足が。

　なのに、なぜ脇坂はぎくりとしたのか。胃の奥から滲《にじ》み出てせり上がり、喉《のど》を爛《ただ》れさせるような……黒々とした予感はなんなのか。

「いっそあれを、殺せればいいのにと思いますよ」

「せ、先生……？」

「だがまあ、そういうわけにもいかない。こっちが殺人犯になってしまう」

洗足が手燭を自分に引き寄せる。そんなに近づけたら、長い睫《まつげ》が焦げてしまうのではないかと、脇坂は気が気ではない。

ジリッと音がした。

「それに、実のところあれは」

タンパク質の燃える、不快なにおいが鼻をつく。睫ではなかったが……洗足の前髪が僅かに焦げたのだ。

脇坂は息を止める。間近な洗足の顔を見たまま、瞬《まばた》きも忘れる。


「あれは、あたしの弟だからね」

ふいに闇が訪れた。
手燭の炎が消えて——脇坂はどうしたらいいのか、まったくわからなくなった。

本書は書き下ろしです。
この作品はフィクションです。実際の人物、団体等とは一切関係ありません。

妖琦庵夜話《ようきあんやわ》　人魚《にんぎよ》を喰《く》らう者《もの》
榎田《えだ》ユウリ

角川ホラー文庫　Hえ3-3　18525

平成26年４月25日　初版発行
平成26年５月30日　再版発行

発行者——山下直久
発行所——株式会社KADOKAWA
東京都千代田区富士見2-13-3
電話(03)3238-8521(営業)
〒102-8177
http://www.kadokawa.co.jp/
編　集——角川書店
東京都千代田区富士見1-8-19
電話(03)3238-8555(編集部)
〒102-8078
印刷所——暁印刷　製本所——BBC
装幀者——田島照久

落丁・乱丁本は、送料小社負担にて、お取り替えいたします。KADOKAWA読者係までご連絡ください。(古書店で購入したものについては、お取り替えできません)
電話 049-259-1100（9:00〜17:00/土日、祝日、年末年始を除く）
〒354-0041　埼玉県入間郡三芳町藤久保550-1

ISBN978-4-04-101329-8 C0193

角川文庫発刊に際して

角川源義

　第二次世界大戦の敗北は、軍事力の敗北であった以上に、私たちの若い文化力の敗退であった。私たちの文化が戦争に対して如何に無力であり、単なるあだ花に過ぎなかったかを、私たちは身を以て体験し痛感した。西洋近代文化の摂取にとって、明治以後八十年の歳月は決して短かすぎたとは言えない。にもかかわらず、近代文化の伝統を確立し、自由な批判と柔軟な良識に富む文化層として自らを形成することに私たちは失敗して来た。そしてこれは、各層への文化の普及滲透を任務とする出版人の責任でもあった。

　一九四五年以来、私たちは再び振出しに戻り、第一歩から踏み出すことを余儀なくされた。これは大きな不幸ではあるが、反面、これまでの混沌・未熟・歪曲の中にあった我が国の文化に秩序と確たる基礎を齎らすためには絶好の機会でもある。角川書店は、このような祖国の文化的危機にあたり、微力をも顧みず再建の礎石たるべき抱負と決意とをもって出発したが、ここに創立以来の念願を果すべく角川文庫を発刊する。これまで刊行されたあらゆる全集叢書文庫類の長所と短所とを検討し、古今東西の不朽の典籍を、良心的編集のもとに、廉価に、そして書架にふさわしい美本として、多くのひとびとに提供しようとする。しかし私たちは徒らに百科全書的な知識のジレッタントを作ることを目的とせず、あくまで祖国の文化に秩序と再建への道を示し、この文庫を角川書店の栄ある事業として、今後永久に継続発展せしめ、学芸と教養との殿堂として大成せんことを期したい。多くの読書子の愛情ある忠言と支持とによって、この希望と抱負とを完遂せしめられんことを願う。

一九四九年五月三日